J.S. BACH

SEI SONATE E PARTITE
PER VIOLINO SOLO

Revisione fedelmente ricostruita dal manoscritto autografo, con suggerimenti di segni d'interpretazione e diteggiata a cura di

Révision fidèlement rétablie, d'après le manuscrit autographe, avec suggestions de signes d'interprétation et doigtée, par

Revision faithfully reconstructed, according to the autograph manuscript, with suggestions for interpretation and fingering by

Revision getreu aus dem Originalmanuskript restauriert, mit Vorschlägen Zeichen Interpretation und Fingerzeig von

RODOLFO LIPIZER

SIX SONATES ET PARTITAS
POUR VIOLIN SEUL

SIX SONATAS AND PARTITAS
FOR SOLO VIOLIN

SECHS SONATEN UND PARTITEN
FÜR VIOLINE SOLO

RICORDI

E. R. 3018

In collaborazione con la / *En collaboration avec la* / In collaboration with the / *In Zusammenarbeit mit dem*

con il contributo del / *avec la contribution de* / with the contribution of / *mit dem Beitrag*

MINISTERO PER I BENI E LE ATTIVITÀ CULTURALI

Curatori della revisione / *Éditeurs de la révision*
Curators of the revision / *Kuratoren der Revision*: Marco Fornaciari, Lorenzo Qualli

Curatore dell'Introduzione / *Introduction par*
Introduction / *Einführungseditor*: Elena Lipizer

Trascrizione musicale / *Notation musicale*
Music engraving / *Notengraphik:* Gal Hartman

Traduttori dei testi / *traducteurs des textes* / text translators / *Text-Übersetzer*:
- lingua francese / *Français* / French / *Französisch* — Maria Elisa Barazza Del Pozzo
- lingua inglese / *Anglais* / English / *Englisch* — Enza Scalone Pecorari
- lingua tedesca / *Allemand* / German / *Deutsch* — Gabriele Maurer

Il manoscritto della revisione di Rodolfo Lipizer è conservato a Gorizia,
Biblioteca musicale e musicologica "Lipizer" dell'Associazione omonima, fondo Lipizer

via B. Crespi, 19 - 20159 Milano

ER 3018
ISMN 979-0-041-83018-6

Prefazione dei curatori

Con molto piacere abbiamo accolto la proposta dell'Associazione Culturale "Maestro Rodolfo Lipizer" di curare la stampa delle *Sonate e Partite di J. S. Bach – Revisione fedelmente ricostruita dal manoscritto autografo, con suggerimenti di segni d'interpretazione e diteggiata* a cura di Rodolfo Lipizer, elaborata durante la sua vita di violinista e pedagogo del violino, fino agli anni '70.

Il manoscritto della revisione giaceva nel Fondo Lipizer della "Biblioteca musicale e musicologica" dell'Associazione tra le musiche donate dalla figlia del maestro Elena Lipizer. Erano già ivi presenti anche altre composizioni inedite del maestro e arrangiamenti di capolavori celebri per vari organici strumentali.

Durante la prima metà del Novecento il maestro godeva di grande fama come didatta del violino: ne sono testimoni i suoi metodi *La tecnica superiore del violino, La tecnica basilare del violino, L'arte e la tecnica del vibrato sul violino e viola,* già circolanti all'epoca. La sua produzione per voce e pianoforte e per voce e orchestra, invece, è rimasta nell'ombra fino a tempi recenti e purtroppo anche la revisione oggetto di questa edizione ha avuto la stessa sorte.

È per questo motivo che l'Associazione ha deciso di stampare tutte le composizioni inedite di Rodolfo Lipizer, affinché possano rappresentare – per i musicisti attuali e quelli futuri – dei validi esempi di riporto all'originale, tecnicamente molto avanzato, e di musica della prima metà del XX secolo.

SONATA I

Adagio
3ª battuta: nel manoscritto bachiano il Mi non ha il bemolle. Il Mi bequadro sembra in contrasto con le regole dell'armonia moderna (falsa relazione cromatica), ma essendo la *Sonata* in modo ipomisolidio, è plausibile che sia stata concepita con altre regole, magari più arcaiche.

La stessa cosa è avvenuta in passato quando nella Siciliana della stessa *Sonata* a battuta 9 veniva aggiunto un diesis al Fa per correggere un ipotetico errore di Bach.

Siciliana
13ª battuta: nel manoscritto bachiano il punto è sovrapposto al quinto rigo mentre la pausa di un sedicesimo è slittata in alto insieme al punto in questione. Però in effetti è l'unica volta che la croma d'inizio tema è scritta isolata.

Non abbiamo indicato di eseguire i trilli dalla nota superiore in quanto negli anni in cui venne concepita la presente revisione, gli anni sessanta, i trilli si eseguivano di solito dalla nota reale anche negli autori barocchi.

Nel manoscritto bachiano in alcuni casi non si capisce bene dove iniziano o dove finiscono le legature: in molti casi vien fatto da Lipizer, come da tutti i revisori, un ragionamento legato alla pratica e al buon senso. Lipizer però è particolarmente attento alla grafia originale, per cui la sua lettura risulta particolarmente interessante in quanto spesso inedita e non legata a un'acritica tradizione.

SONATA II

Grave
26ª battuta, cioè la penultima: in corrispondenza delle due seste a fine battuta è presente un doppio segno orizzontale ondulato. Noi ci troviamo d'accordo con chi lo interpreta come un vibrato (*tremolato*) d'arco con un trillo sul Re diesis, cioè laddove è scritto.

PARTITA III

Loure
22ª battuta: la presenza del Mi andrebbe ripristinata in quanto Bach spesso procede muovendosi per grado congiunto, formando delle brevi scale con note di passaggio o fioriture tra un grado e l'altro. Nel nostro caso, la scala discendente, che parte dal Si di battuta 21 in battere e termina col Do alla penultima battuta risulterebbe proprio priva del Mi. Inoltre, l'imprecisione della grafia ricorda battuta 55 della Fuga della *Sonata II*, dove alcune edizioni, non scrivono il Sol, che sembra una macchia e non una nota. In effetti il Mi, a cui si riferirebbe anche il trillo, non ha il punto, a differenza del Do. Forse è per questo motivo che non compare in alcuna edizione.

Marco Fornaciari e Lorenzo Qualli

Préface des éditeurs

C'est avec un grand plaisir que nous avons accueilli la proposition de l'Association Culturelle «Maestro Rodolfo Lipizer» de soigner l'édition de *Sonates et Partitas pour violon seul de J. S. Bach – Révision fidèlement rétablie, d'après le manuscrit autographe, avec suggestions de signes d'interprétation et doigtée* par Rodolfo Lipizer au cours de sa vie de violoniste et pédagogue du violon, jusqu'aux années 70.

Le manuscrit de cet ouvrage du Maître se trouvait aux Archives de la «Bibliothèque musicale et musicologique» de l'Association, donné par sa fille Elena Lipizer, tout comme les partitions des Fonds Lipizer, comprenant aussi quelques unes de ses compositions inédites et des arrangements de chefs d'œuvres célèbres, pour différents groupes d'instruments.

Pendant la première moitié du XXème siècle Rodolfo Lipizer jouissait déjà d'une grande renommée comme didacticien du violon : en témoignent ses méthodes *La technique supérieure du violon, La technique de base du violon, L'art et la technique du vibrato sur violon et alto* qui circulaient déjà à l'époque. Sa production pour voix et piano et pour voix et orchestre, au contraire, est restée dans l'ombre jusqu'à une époque récente et malheureusement aussi la révision qui fait l'objet de cette édition a suivi le même sort.

C'est pourquoi l'Association a décidé de faire imprimer toutes ses compositions inédites de Rodolfo Lipizer, pour pouvoir représenter – pour les musiciens présents et futurs – des exemples efficaces de renvoi à l'original, techniquement très avancé, et musique de la première moitié du XXème siècle.

SONATA I

Adagio
3ème mesure : dans le manuscrit de Bach le Mi n'a pas de bémol. Le Mi bécarre semble contraster avec les règles de l'harmonie moderne (fausse relation chromatique), mais la *Sonata* étant en mode hypomixolydien il se peut qu'elle ait été conçue avec d'autres règles, peut-être plus archaïques.

C'est bien ce qui est arrivé par le passé quand dans la Siciliana de la même *Sonata* à la mesure 9 était rajouté un dièse au Fa pour corriger une hypothétique erreur de Bach.

Siciliana
13ème mesure : dans le manuscrit de Bach le point est superposé à la 5ème portée, tandis que la pause de un seizième a glissé en haut ainsi que le point en question. Mais c'est en effet la dernière fois que la croche du début du thème est écrite isolée.

Non n'avons pas indiqué d'exécuter les trilles de la note supérieure vu qu'à l'époque où la révision présente est conçue, c'est-à-dire les années soixante, les trilles s'exécutaient normalement depuis la note réelle même chez les auteurs baroques.

Dans le manuscrit de Bach des fois on ne comprend pas bien où commencent et où se terminent les liaisons : souvent Rodolfo Lipizer, ainsi que tout réviseur, suit un raisonnement lié à la pratique et au bon sens. Lipizer toutefois est particulièrement attentif à l'écriture originale, c'est pourquoi sa lecture est particulièrement intéressante étant très souvent inédite et non liée à une tradition acritique.

SONATA II

Grave
26ème mesure, c'est à dire l'avant-dernière : en correspondance de deux sixtes en fin de mesure il y a un double signe horizontal ondulé. Nous nous trouvons d'accord avec ceux qui l'interprètent comme un vibrato (*tremolato*) d'archet avec un trille sur Ré dièse, exactement là où il est écrit.

PARTITA III

Loure
22ème mesure : la présence du Mi devrait être rétablie puisque Bach avance souvent par degré conjoint, en formant de courtes gammes avec des notes de passage ou fioriture entre un degré et l'autre. Dans notre cas, la gamme descendante qui part du Si de mesure 21 en battant se termine par le Do à l'avant dernière mesure serait justement dépourvue du Mi. En outre, l'imprécision de l'écriture rappelle la mesure 55 de la Fuga de la *Sonata II*, où certaines éditions, même très importantes, n'écrivent pas le Sol, qui ressemble à une tache et pas à une note. En effet le Mi, à qui se rapporterait aussi le trille, n'a pas de point, à la différence du Do. C'est peut-être pour cette raison qu'il ne paraît dans aucune édition.

Marco Fornaciari et Lorenzo Qualli

Preface by the Curators

It is with great pleasure that we accept the proposal of the "Maestro Rodolfo Lipizer" Cultural Association to be the curators of *Sonatas and Partitas for Solo Violin by J. S. Bach – Revision faithfully reconstructed, according to the autograph manuscript, with suggestions for interpretation and fingering* by Rodolfo Lipizer, which he worked on throughout his life as a violinist and teacher until the 1970s.

The manuscript of the revision was buried among the music donated by the Maestro's daughter Elena to the Lipizer Foundation, situated in the "Biblioteca musicale e musicologica", the Association's library, where there were also other unpublished compositions and arrangements of famous works for different instrumental groups written by Lipizer.

During the first half of the 20th century, Lipizer's claim to fame as a distinguished violin teacher were his works: *Advanced Violin Technique, Basic Violin Technique, The Art and the Technique of the Vibrato on the Violin and Viola.* His compositions for voice and piano and for voice and orchestra, however, were unknown until recent times and unfortunately, the present revision suffered the same fate.

It is for this reason that the Association has decided to print all of Rodolfo Lipizer's unpublished compositions for present and future musicians, so as to illustrate his technically advanced scholarship in reading original manuscripts and the musical taste of his times.

SONATA I

Adagio
3rd bar: Bach's manuscript does not contain an E flat. The E natural seems to contradict the rules of modern harmony (false chromatic relationship), but since the *Sonata* is in the Hypomixolydian mode, it could plausibly be based on other, more archaic rules.

Likewise, the F in bar 9 in the Siciliana of the same *Sonata* used to be sharp in order to correct a hypothetical error made by Bach.

Siciliana
13th bar: in Bach's manuscript, the dot overlaps the 5th line, while the semiquaver rest is placed above, together with the above-mentioned dot. This, however, is the only instance where the quaver in the opening theme is written separately.

We have not suggested that trills be performed starting from the upper note because in the 1960s i.e. when this edition was conceived, trills began with the written note, even in Baroque music.

In Bach's manuscript, slurring is not always clear in terms of where it begins or ends: like all editors, Lipizer's reasoning often refers to practice or tradition, and common sense. Nevertheless, he pays particular attention to the autograph manuscript, and, as a result, his reading is extremely interesting because it is often original and does not follow accepted tradition.

SONATA II

Grave
26th bar, i.e. the second to last bar: there is a wavy two-lined sign placed horizontally above the two sixths at the end of the bar. We agree that it should be performed as a vibrato *(tremolato)* with the bow, with a trill on D sharp i.e. starting on the written note.

PARTITA III

Loure
22nd bar: there should be an E because Bach often proceeds in steps, forming short scales with passing notes or embellishments between one degree and the next. In this case, the descending scale, starting on the beat from the B in bar 21 and ending on the C in the second to last bar, would actually be without an E. Moreover, the vague handwriting reminds us of bar 55 of the Fuga in *Sonata II*, where several editions, including very important ones, do not include the G, which looks more like a smudge than a note. Contrary to the C, the E, which the trill refers to, does not actually have a dot and this could explain why it has never been written nor played.

Marco Fornaciari and Lorenzo Qualli

Vorwort der Kuratoren

Mit großer Freude haben wir den Auftrag des Kulturvereins "Maestro Rodolfo Lipizer" für die Ausgabe der *Sonaten und Partiten für Violine solo – Revision getreu aus dem Originalmanuskript restauriert, mit Vorschlägen für Zeichen – Interpretation und Fingerzeig* von Rodolfo Lipizer angenommen und zeichen gerne als Kuratoren verantwortlich hatte er diese im Laufe seines Lebens als Violinist und Geigenlehrer bis in die 1970er Jahre ausgearbeitet.

Das Manuskript dieses Werkes befand sich im Archiv der "Bibliothek für Musik und Musikkunde" des Kulturvereins unter den Musikstücken, einem Geschenk von Elena Lipizer, der Tochter des Maestro. Darin enthalten sind auch einige seiner unveröffentlichten Kompositionen und Arrangements berühmter Meisterwerke für verschiedene Instrumentengruppen.

In ersten Hälfte des 20. Jahrhunderts war der Maestro als feinfühliger Didakt der Violine weltweit bekannt. Davon zeugen seine Lehrmethoden Die Meistertechnik des Violinspiels, Die Grundtechnik des Violinspiels, Kunst und Technik des Vibrato auf der Violine und Viola, die sich damals bereits im Umlauf befanden. Seine Werke für Gesang und Klavier und für Gesang und Orchester waren bis vor kurzem in Vergessenheit geraten. Ebenso erging es auch leider der vorliegenden Revision, dem Gegenstand dieser Ausgabe.

Aus diesem Grund hat der Kulturverein sich entschlossen, alle seine unveröffentlichten Kompositionen von Rodolfo Lipizer drucken zu lassen, damit sie für zeitgenössische und auch künftige Musiker als wertvolle Beispiele für die Rückkehr zum technisch äußerst fortschrittlichen Ursprung und die Musik der ersten Jahrzehnte des 20. Jahrhunderts gelten können.

SONATA I

Adagio
3. Takt: in der Bachschen Handschrift hat das E kein Erniedrigungszeichen. Das E mit Auflösungszeichen scheint im Widerspruch mit den modernen Harmonieregeln zu stehen (falscher chromatischer Querstand), da die *Sonata* in der hypomixolydischen Tonart geschrieben ist, ist es plausibel, dass sie mit anderen, noch älteren Regeln ersonnen wurde.

Das ist früher auch passiert, als in der Siciliana derselben *Sonata* dem F im Takt 9 ein # vorgesetzt wurde, um einen eventuell von Bach begangenen Fehler zu korrigieren.

Siciliana
13. Takt: in Bachs Handschrift ist der Punkt über der 5. Linie gesetzt, während die Sechzehntelpause gemeinsam mit dem besagten Punkt nach oben geschlittert ist.

Jedoch ist das tatsächlich das einzige Mal, in dem die Achtelnote des beginnenden Themas allein geschrieben wurde.

Wir haben es vermieden, daraufhinzuweisen, die Triller von der höheren Note ab auszuführen, da in den Sechziger Jahren – einer Zeit, in der eben die vorliegende Revision erfolgte, man die Triller für gewöhnlich von der harmonischen Note ausgehend, ausführte, auch bei den Autoren des Barock.

In der Bachschen Handschrift versteht man in einigen Fällen nicht, wo die Haltebögen beginnen, oder wo sie enden: In vielen Fällen vertraut sich Lipizer dem Hausverstand an, so wie es auch alle Revisoren tun. Lipizer jedoch zieht besonders die originale Handschrift in Betracht, daher ist seine Auslegung besonders interessant, da oft neuartig und losgelöst von einer unkritischen Tradition.

SONATA II

Grave
26. Takt, d.h. der vorletzte: bei den zwei Sexten am Ende des Taktes ist ein waagrechtes, gewelltes Doppelzeichen angebracht. Wir sind mit all jenen einverstanden, die das als Bogenvibrato (*tremolato*) auslegen mit einem Triller auf Dis, d.h. dort wo es eben geschrieben steht.

PARTITA III

Loure
22. Takt: hier sollte ein E wieder eingefügt werden, da Bach oft nach Verbindungen vorgeht, indem er kurze Tonleitern schafft mit Noten oder Fiorituren zwischen einem Grad und dem anderen. Im vorliegenden Fall, in der abfallenden Tonleiter, die beim H des Taktes 21 betont beginnt und mit dem C im vorletzten Takt endet, scheint es wahrlich kein E zu geben. Weiter erinnert die Ungenauigkeit der Handschrift an den Takt Nr. 55 der Fuga der *Sonata II*, wo einige, sehr bedeutende Ausgaben, das G nicht schreiben, das wie ein Klecks aussieht und nicht wie eine Note. Tatsächlich hat das E, worauf sich auch der Triller bezieht, keinen Punkt, im Gegensatz zum C. Das ist vielleicht der Grund, warum dies in keiner Ausgabe aufscheint.

Marco Fornaciari und Lorenzo Qualli

Introduzione del revisore

SONATA I

Adagio
Il testo corrisponde perfettamente all'originale.
Tutte le legature sono originali; aggiunti solo i segni, che non alterano minimamente il testo.
2ª battuta: il trillo con l'arcata in su (V).

6ª e 19ª battuta: il Mi, rispettivamente il La con l'arcata in su:

sono scritte così:

13ª battuta, 4° quarto: il Sol sciolto è collegato alla nota precedente.

21ª battuta, 2° quarto: il punto ha valore convenzionale, e va eseguito come indicato in fondo alla pagina, nota 2.

Fuga; Allegro
Il testo corrisponde all'originale.
Usate nel tema due note con lineette, unite in un'arcata:

al posto di:

Esempio:

oppure:

38ª battuta: proposta una variante.

Siciliana
Il testo corrisponde all'originale: ho mantenuto integralmente tutte le geniali arcate variate scritte da Bach, così ricche di fantasia e immaginazione.
Invece del

ho usato in alcuni casi questa arcata:

Nella terzultima e quartultima battuta le arcate proposte sono messe tra parentesi.

Presto
Il testo corrisponde perfettamente all'originale.
Bach non ha scritto in questa *Sonata* alcun colorito; perciò tutti i segni sono proposti dal revisore.

PARTITA I

Allemanda
Il testo corrisponde perfettamente all'originale.
Invece del

ho usato la seguente arcata:

Nella 5ª, 11ª, 18ª e 21ª battuta, il punto ha valore convenzionale:

da eseguire così:

ciò è qui tanto più evidente, in quanto Bach ha scritto sopra tutte le terzine (sino a sei consecutive) sempre il segno della terzina:

mentre non ha messo mai il "3" sulla suddetta figurazione.

Double
Il testo corrisponde perfettamente all'originale.

Corrente
Il testo corrisponde perfettamente all'originale.

Double Presto
Il testo corrisponde perfettamente all'originale.

Sarabande
Il testo corrisponde perfettamente all'originale.

Double
Il testo corrisponde perfettamente all'originale.

Tempo di Borea
Il testo corrisponde perfettamente all'originale.
Invece di

ho usato in alcuni casi questa arcata:

Double
Il testo corrisponde perfettamente all'originale.

SONATA II

Grave
Il testo corrisponde perfettamente all'originale.
Tutte le legature sono originali.
5ª battuta, 3° quarto: i punti hanno valore convenzionale (vedi nota);

4° quarto, 1° ottavo: notazione inesatta, da correggere.

6ª battuta, 4° quarto

anziché

8ª battuta, 7° ottavo

anziché

Fuga
Il testo corrisponde perfettamente all'originale.
Le note sono originali, solamente ho usato

anziché

I segni piano e forte sono originali, gli altri coloriti sono aggiunti.

Andante
Il testo corrisponde perfettamente all'originale.
Le legature sono originali.
In alcuni casi ho usato

anziché

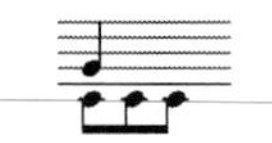

Allegro
Il testo corrisponde perfettamente all'originale: ho mantenuto integralmente tutte le variate arcate, come prescritte da Bach, che ha l'abitudine di variare i colpi d'arco per evitare le formule simmetriche.
Il segno ¢, indica la divisione degli accenti ritmici di una battuta in due unità di gruppi omogenei, da eseguire in tempo moderato.
I segni piano e forte sono originali.

PARTITA II

Allemanda
Il testo e le arcate (che qui si presentano in forme molto variate) sono conformi all'originale.

Corrente
Il testo e le arcate sono conformi all'originale, solamente la figura

è scritta così:

Sarabanda
Il testo e le legature (anche qui molto variate) corrispondono all'originale.

Giga
Il testo e le arcate (spesso variate, per evitare uniformità e ripetizioni simmetriche), sono conformi all'originale.

Ciaccona
Questo imponente capolavoro, insuperabile nella sua geniale concezione e nella maestosità della costruzione architettonica delle parti che la compongono, è basato su un tema di danza, proposto da un basso di quattro battute, che inizia sul secondo quarto della battuta – sopra al quale si sviluppa una serie di magistrali, meravigliose variazioni, le quali raggiungono le più alte vette di un'inesauribile ricchezza di inventiva e di fervida immaginazione.
Le variazioni, pur nelle loro più svariate e multiformi combinazioni, dovranno in linea generale, mantenere un'unità di movimento rispetto al tempo fondamentale, onde non alterare il carattere della composizione.
Si renderà tuttavia necessario ricorrere a quelle sfumature di libertà ritmica, che consentano di trasmettere le vibrazioni del sentimento per mezzo di un ben dosato respiro agogico, a seconda del carattere distinto e differenziato di ciascuna variazione.
Anche qui il testo è conforme al manoscritto e sono state mantenute le legature e le arcate originali, le quali esprimono fedelmente il fraseggio voluto dall'autore.
Solamente in alcuni casi le figurazioni sono così segnate:

invece di

così:

invece di

così:

invece di

Per una corretta interpretazione degli "arpeggi", che vanno dalla 89ª battuta alla 120ª, sarà utile far conoscere la notazione originale di Bach, che è la seguente:

Come si vede, all'inizio sono segnati gli arpeggi solamente per i primi due ottavi, i quali dovrebbero così continuare per tutto il brano di 32 battute.
Per evitare la monotonia e dare maggiore plasticità alle frasi sia melodiche che armoniche (cioè ritenendo di interpretare così la volontà dell'autore – e riferendomi in ciò anche alla maggioranza delle edizioni esistenti –), ho diviso gli arpeggi in gruppi di 4 e 8 battute, i quali sono elaborati con differenti distinte figurazioni di varianti.

SONATA III

Adagio
Il testo è conforme all'originale.
Ho mantenuto inalterate le arcate originali, le quali alterando note legate e note sciolte, danno varietà e contrasto alla composizione, evitando così uniformi e monotone ripetizioni.

Fuga
Il testo è conforme all'originale.
Per maggiore chiarezza e al fine di una migliore e più approfondita conoscenza della costruzione della Fuga e dei movimenti polifonici delle singole parti, ho mantenuto la scrittura originale e integrale.
Così negli accordi, anziché cambiare le figure

𝅗𝅥

in

♩

oppure

♪.

(come si trova in molte edizioni), ho scritto la figura

𝅗𝅥

mettendo il punto sulla nota:

𝅗𝅥

Ho adoperato spesso la figurazione:

♫

invece di

♫

Largo
Il testo è conforme all'originale.

Allegro assai
Il testo è conforme all'originale.

PARTITA III

Preludio
Il testo è conforme all'originale.
Scritto dall'autore solamente "piano" e "forte", riportati qui per esteso.

Loure
Testo conforme all'originale.

Gavotte en Rondeaux
Testo conforme all'originale.

Menuet I; Menuet II
Testo conforme all'originale.

Bourée
Testo conforme all'originale
Nell'autografo segnati piano e forte, riportati qui per esteso.

Gigue
Testo conforme all'originale.

Nell'autografo segnati piano e forte, riportati qui per esteso.

Rodolfo Lipizer

Introduction du réviseur

SONATA I

Adagio
Le texte correspond exactement au manuscrit authentique.
Toutes les liaisons sont originales ; les signes ajoutés ne modifient en rien le texte.
2ème mesure : le trille avec le coup d'archet en haut (V) (en poussant) ;

6ème et 19ème mesure : le Mi, respectivement le La avec le coup d'archet en haut :

elles sont écrites comme-ça :

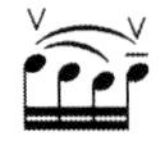

13ème mesure, 4ème quart : le Sol détaché-lié à la note précédente.

21ème mesure, 2ème quart : le point a valeur conventionnelle, et doit être exécuté comme indiqué au bas de la page, note 2.

Fuga ; Allegro
Le texte correspond à l'original.

Utilisées dans le thème deux notes, reliées dans le coup d'archet suivant :

au lieu de :

Exemple :

ou bien :

38ème mesure : une variante est proposée.

Siciliana
Le texte correspond à l'original : j'ai gardé intégralement les différents brillants coups d'archet, comme établis par Bach, et aussi riches de fantaisie et d'imagination.
Au lieu de

j'ai utilisé parfois ce coup d'archet :

Dans l'avant-avant-dernière mesure et dans la quatrième en partant de la fin les coups d'archet proposés sont mis entre parenthèses.

Presto
Le texte correspond à l'original : identique.
Bach n'a écrit dans cette *Sonate* aucune couleur ; c'est pourquoi tous les signes sont proposés par le réviseur.

PARTITA I

Allemanda
Le texte correspond parfaitement à l'original.
Au lieu du

j'ai utilisé le coup d'archet suivant :

Dans la 5ème, 11ème, 18ème et 21ème mesures, le point a valeur conventionnelle :

à èxecuter :

ce qui est ici d'autant plus évident que Bach a toujours écrit au-dessus de tous les triolets (jusqu'à six consécutifs) le signe du triolet :

tandis qu'il n'a jamais mis le "3" sur la figure susmentionnée.

Double
Le texte correspond parfaitement à l'original.

Corrente
Le texte correspond parfaitement à l'original.

Double Presto
Le texte correspond parfaitement à l'original.

Sarabande
Le texte correspond parfaitement à l'original.

Double
Le texte correspond parfaitement à l'original.

Tempo di Borea
Le texte correspond parfaitement à l'original.
Au lieu de

j'ai utilisé, des fois, ce coup d'archet :

Double
Le texte correspond parfaitement à l'original.

SONATA II

Grave
Le texte correspond exactement à l'original.
Toutes les liaisons sont originales.
5ème mesure, 3ème quart : les points ont valeur conventionnelle (voir note) ;

4ème quart, 1er octave : notation inexacte, doit être corrigée.

6ème mesure, 4ème quart

au lieu de

8ème mesure, 7ème octave

au lieu de

Fuga
Le texte correspond à l'original.
Les notes sont originales, seulement j'ai utilisé

au lieu de

Les signes piano et forte sont originaux, les autres coloris sont ajoutés.

Andante
Le texte correspond parfaitement à l'original.
Les liaisons sont originales.
Dans certains cas j'ai utilisé

au lieu de

Allegro
Le texte correspond à l'original : j'ai gardé intégralement tous les différents coups d'archet, comme établis par Bach, qui a l'abitude de varier les coups d'archet pour èviter les formules symétriques.
Le ¢, détermine la division des accents rythmiques d'une mesure, en deux unités de groupes omogènes, à exécuter en temps moderato.
Les signes piano et forte sont originaux.

PARTITA II

Allemanda
Le texte et les coups d'archet (ici dans des formes très variées) sont conformes à l'original.

Corrente
Le texte et les coups d'archet sont conformes à l'original, seulement la figure

est écrite comme-ça :

Sarabanda
Le texte et les liaisons (ici très variés aussi) correspondent à l'original.

Giga
Le texte et les coups d'archet (souvent variés, en évitant des uniformités et des répétitions symétriques) sont identiques à l'original.

Ciaccona
Cet imposant chef-d'oeuvre, incomparable dans sa conception géniale et dans la majesté de la construction architectonique des parties qui la composent, est basé sur un thème de danse, proposé par une basse de quatre mesures - qui commence dans le deuxième quart de la mesure - sur lequel se développe une série de magistrales, merveilleuses variations, qui atteignent les plus hauts sommets d'une inépuisable richesse d'invention et de fervente imagination.

Les variations, même dans leurs multiformes, nombreuses combinaisons, devront, en principe, garder une unité de mouvement par rapport au temps fondamental, afin de ne pas altérer la nature de la composition.
Il sera en tout cas nécessaire d'avoir recours à ces nuances de liberté rythmique qui permettront de transmettre les vibrations du sentiment à travers une respiration agogique équilibrée suivant le caractère différent de chaque variation.
Ici aussi, le texte est conforme au manuscrit et les liaisons et les coups d'archet originaux ont été respectés, de façon à re-

produire et exprimer fidèlement le phrasé voulu par l'auteur. Dans quelques cas seulement les figures ont été écrites de la sorte :

au lieu de

donc :

au lieu de

donc :

au lieu de

Pour une interprétation et exécution correcte des arpèges qui vont de la 89ème à la 120ème mesure, il sera utile de faire connaître la notation originale de Bach qui est la suivante :

Comme on peut le remarquer, au début sont marqués uniquement les arpèges pour les deux premiers octaves, qui devraient ainsi continuer pour tout le morceau de 32 mesures.
Pour éviter la monotonie et donner beauté et une plus grande qualité plastique aux phrases soit mélodiques soit harmoniques (c'est-à-dire en pensant interpréter, de la sorte, la volonté de l'auteur – et en me rapportant aussi à la majorité des éditions existantes –), j'ai divisé les arpèges en groupes de 4 et 8 mesures, et je les ai élaborés avec différentes et particulières figures de variations.

SONATA III

Adagio
Le texte est conforme à l'original.
J'ai gardé inaltérés les coups d'archet originaux qui, par l'alternance de notes liées et de notes détachées, donnent variété et contraste à la composition, en évitant ainsi des répétitions uniformes et monotones.

Fuga
Le texte est conforme à l'original.

Pour une plus grande clarté et une connaissance plus approfondie de la construction de la Fugue et des mouvements polyphoniques des différentes parties, j'ai gardé l'écriture originale et intégrale.
Aussi dans les accords, au lieu de changer les figures

en

ou bien

(comme on trouve dans de nombreuses éditions), j'ai écrit la figure

en mettant le point sur la note :

J'ai souvent utilisé la représentation :

au lieu de

Largo
Le texte est conforme à l'original.

Allegro assai
Le texte est conforme à l'original.

PARTITA III

Preludio
Le texte est conforme à l'original.
Écrit par l'auteur seulement piano et forte, reproduits ici en détail.

Loure
Texte conforrne à l'original.

Gavotte en Rondeaux
Texte conforme à l'original.

Menuet I ; Menuet II
Texte conforme à l'original.

Bourée
Texte conforme à l'original.
Dans l'autographe marqués piano et forte, ici reproduit en détail.

Gigue
Texte conforme à l'original.
Dans l'autographe marqués piano et forte, ici reproduit en détail.
Le texte et les coups d'archet (souvent variés, en évitant des uniformités et des répétitions symétriques) sont identiques à l'original.

Rodolfo Lipizer

Introduction by the Editor

SONATA I

Adagio
The text corresponds exactly to the original manuscript.
All the slurs are original and the added signs do not distort the text.
2nd bar: the trill with an up-bow (V);

6th and 19th bar: E and A respectively with an up-bow:

they are both indicated as follows:

13th bar, 4th quarter: the unslurred G is slurred to the preceding note.

21st bar, 2nd quarter: the dot is conventional, and is to be played as indicated at the bottom of page 2.

Fuga; Allegro
The text corresponds to the original manuscript.
In the theme, use two notes with accent marks, with the bow:

instead of:

Example:

or:

38th bar: a variation has been suggested.

Siciliana
The text corresponds to the original manuscript. I have kept all of Bach's brilliant bowed passages in full, so rich in imagination.
Instead of

I have occasionally used this bowing:

Suggestions for bowing the third-last and fourth-last bars are in brackets.

Presto
The text corresponds exactly to the original manuscript.
Bach did not include any dynamic marks in this Sonata.
All the signs are, therefore, proposed by the editor.

PARTITA I

Allemanda
The text corresponds exactly to the original manuscript.
Instead of

I have used the following bowing:

In the 5th, 11th, 18th and 21st bars the duration of the dot is conventional:

to be played:

this is very evident here, since Bach always placed the triplet symbol over all the triplets (up to six consecutive triplets):

whereas he never placed a "3" over the above-mentioned figure.

Double
The text corresponds exactly to the original score.

Corrente
The text corresponds exactly to the original score.

Double Presto
The text corresponds exactly to the original score.

Sarabande
The text corresponds exactly to the original score.

Double
The text corresponds exactly to the original score.

Tempo di Borea
The text corresponds exactly to the original score.
Instead of

I have at times used the following bowing:

Double
The text corresponds exactly to the original score.

SONATA II

Grave
The text corresponds exactly to the original score.
All the slurs are original.
5th bar, 3rd quarter: the dots are conventional (see footnote);

4th quarter, 1st octave: the notation is inaccurate and has to be corrected.

6th bar, 4th quarter

instead of

8th bar, 7th octave

instead of

Fuga
The text corresponds exactly to the original score.
The notes are original. I have only used

instead of

The terms piano and forte are original, while the other dynamics have been added.

Andante
The text corresponds to the original score.
The slurs are original.
In some cases I have used

instead of

Allegro
The text corresponds exactly to the original score: I have kept all of Bach's varied bowed passages in full because he used to vary the strokes of the bow in order to avoid symmetric forms.
The symbol ¢ determines the division of the rhythmical accents of a bar into two units of homogeneous groups, to be performed in tempo moderato.
The terms piano and forte are original.

PARTITA II

Allemanda
The text and the bowed passages (which appear here in many varied forms), correspond to the original score.

Corrente
The text and the bowed passages correspond to the original score. Only the form

appears as follows:

Sarabanda
The text and the slurs (here too appearing in many varied forms) correspond to the original score.

Giga
The text and the bowed passages (often varied to avoid uniformity and symmetric repetitions) correspond to the original score.

Ciaccona
This impressive masterpiece, incomparable in its brilliant conception and majesty of the architectonic construction of its parts, is based on a dance theme proposed by a four-bar bass that starts on the second quarter of the bar – over which a series of wonderful masterly variations develops, attaining the highest level of creative richness and lively imagination.
The variations, though differently and variously combined, will, in general, have to keep a unity of movement with respect to the basic time, so as not to distort the character of the composition.
It will be necessary, however, to resort to those shades of rhythmical liberty, which will make it possible to convey the vibrations of feelings through a well-proportioned agogic breath, according to the distinct and differentiated character of each variation.
Here too, the text corresponds to the manuscript. The original slurs and bowing have been kept, which faithfully express the phrasing that the author wanted.
Only in some cases do the forms appear in the following way:

instead of

in this way:

instead of

in this way:

instead of

In order to interpret and perform the arpeggios from the 89th bar to the 120th bar correctly, it will be useful to give Bach's original notation, which is as follows:

As you can see, at the beginning, only the first two octaves of the arpeggios are marked but they should continue as such throughout the 32 bars of the piece.
In order to avoid monotony and give more 'plasticity' to both the melodic and harmonic phrases (thus interpreting the composer's will – and also referring to the majority of existing editions –), I have divided the arpeggios into groups of four and eight bars, varying them differently and distinctly.

SONATA III

Adagio
The text corresponds to the original score.
I have not changed the original bowed passages, which, by alternating slurred and unslurred notes, give the composition variety and contrast, and avoid monotonous repetitions.

Fuga
The text corresponds to the original manuscript.
For the sake of clarity, and in order to have a better and deeper understanding of the Fugue's structure and the polyphonic movements of each part, I have kept the original and complete score.
Therefore, in the chords, instead of changing the notes

into

or

(as found in many editions), I have written the note

with a dot as follows:

I have often replaced the form:

with

Largo
The text corresponds to the original manuscript.

Allegro assai
The text corresponds to the original manuscript.

PARTITA III

Preludio
The text corresponds to the original score.
Only the terms piano and forte were written by the author and here given in full.

Loure
The text corresponds to the original score.

Gavotte en Rondeaux
The text corresponds to the original score.

Menuet I; Menuet II
The text corresponds to the original score.

Bourée
The text corresponds to the original score.
The words piano and forte written in the autograph version are here given in full.

Gigue
The text corresponds to the original score.
The words piano and forte written in the autograph version are here given in full.

Rodolfo Lipizer

Einleitung des Revisors

SONATA I

Adagio
Der Text entspricht voll und ganz der Original-Handschrift. Alle Bindebögen sind original; nur die Zeichen, die den Text nicht im geringsten ändern, wurden dazu notiert und zwar im 2. Takt der Triller mit dem Bogenstrich nach oben auf (V); im 6. und 19. Takt sind das E und das A mit einem Bogenstrich nach oben:

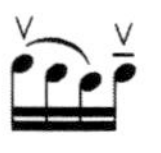

wie folgt notiert:

13. Takt , 4. Viertel: das G ist mit der vorhergehenden Note verbunden;

21. Takt, 2. Viertel: der Punkt hat herkömmlichen Wert und wird, siehe Ende Seite 2 erklärt, ausgeführt.

Fuga; Allegro
Der Text entspricht dem originalen Manuskript. Man verwende im Thema zwei Noten mit Linien, in einem einzigen Bogenstrich:

an Stelle von:

Beispiel:

oder:

38. Takt: eine Variante wird vorgeschlagen.

Siciliana
Der Text entspricht der Original-Handschrift: Ich habe alle genialen, von Bach notierten Bogenstrichvariationen vollständig beibehalten, die so voller Fantasie und Vorstellungskraft sind. Statt des

habe ich in einigen Fällen diesen Bogenstrich verwendet:

Im drittletzten und viertletzten Takt werden die vorgeschlagenen Bogenstriche in Klammern gesetzt.

Presto
Der Text entspricht voll und ganz der Original-Handschrift. Bach hat in dieser Sonate keinerlei Klangfarbe notiert; daher wurden alle Zeichen vom Revisor vorgeschlagen.

PARTITA I

Allemanda
Der Text entspricht voll und ganz der Original-Handschrift. Statt des

habe ich den folgenden Bogenstrich verwendet:

Im 5., 11., 18. und 21. Takt hat der Punkt konventionellen Wert:

und muss so gespielt werden:

das kommt an dieser Stelle mehr zum Ausdruck, da Bach über die Triolen (bis zu sechs in Folge) zwar immer das Zeichen der Triole gesetzt:

jedoch nie die "3" auf die obengenannten Figur gesetzt hat.

Double
Der Text entspricht voll und ganz der Original-Handschrift.

Corrente
Der Text entspricht voll und ganz der Original-Handschrift.

Double Presto
Der Text entspricht voll und ganz der Original-Handschrift.

Sarabande
Der Text entspricht voll und ganz der Original-Handschrift.

Double
Der Text entspricht voll und ganz der Original-Handschrift.

Tempo di Borea
Der Text entspricht voll und ganz der Original-Handschrift.

Statt

habe ich in einigen Fällen diesen Bogenstrich verwendet:

Double
Der Text entspricht voll und ganz der Original-Handschrift.

SONATA II

Grave
Der Text entspricht voll und ganz der Original-Handschrift. Alle Bindebögen sind wie im Original.
5. Takt, 3. Viertel: Die Punkte haben konventionellen Wert (siehe Fußnote);

4. Viertel, 1. Oktave: Ungenaue Notation, zu korrigieren.

6. Takt , 4. Viertel

statt

8. Takt, 7. Oktave

statt

Fuga
Der Text entspricht voll und ganz der Original-Handschrift. Die Notation ist original. Ich habe nur verwendet

statt

Die Zeichen piano und forte sind original, die anderen Klangfarben wurden hinzugefügt.

Andante
Der Text entspricht voll und ganz der Original-Handschrift. Die Bindebögen sind original.
In einigen Fällen verwendete ich

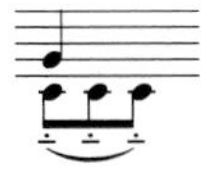

statt

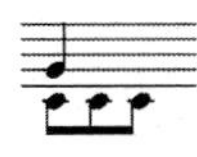

Allegro
Der Text entspricht voll und ganz der Original-Handschrift: Ich habe alle Variationen der Bogenstriche, wie von Bach vorgeschrieben, vollkommen beibehalten; er hatte die Gewohnheit, die Bogenstriche zu variieren um symmetrische Formeln zu vermeiden.
Das Zeichen ¢ zeigt die Teilung der rhythmischen Akzente eines Takts in zwei homogene Gruppeneinheiten, die im Tempo moderato ausgeführt werden müssen. Die Zeichen piano und forte sind original.

PARTITA II

Allemanda
Der Text und die Bogenstriche (hier erscheinen sie in vielen unterschiedlichen Formen) entsprechen dem Original.

Corrente
Der Text und die Bogenstriche entsprechen dem Original, nur die Figur

erscheint wie folgt:

Sarabanda
Der Text und die Bogenstriche (hier erscheinen sie in vielen unterschiedlichen Formen) entsprechen dem Original.

Giga
Der Text und die Bogenstriche (oft variiert, um eine Vereinheitlichung und symmetrische Wiederholungen zu vermeiden) entsprechen dem Original.

Ciaccona
Dieses beeindruckende Meisterwerk, unübertrefflich in seiner genialen Fassung und aufgrund der Erhabenheit des architektonisch anmutenden Aufbaus seiner Bestandteile, beruht auf dem Thema des Tanzes, das von einem Bass mit vier Takten vorgestellt wird, welcher auf dem zweiten Viertel des Taktes beginnt – wodurch sich eine Reihe von meisterhaften, wunderbaren Variationen entwickeln, die ihren Höhepunkt in einem unerschöpflichen Reichtum an Erfindungsgabe und blühender Fantasie erreichen.
Die Variationen müssen, wenn auch in ihren unterschiedlichsten und facettenreichen Kombinationen grundsätzlich eine einheitliche Bewegung hinsichtlich dem Grund-Tempo beibehalten, um die Merkmale der Komposition nicht zu verfälschen.
Trotzdem wird es notwendig sein, auf jene Nuancen zurückzugreifen, die die Vibrationen des Gefühls durch ein agogisches Atmen weiterleiten, je nach dem, jeder Variation zu eigenen Charakter.
Auch hier entspricht der Text dem Original; dabei wurden auch die Bindebögen und die originalen Bogenstriche beibehalten, die die Phrasierung getreu des Willens des Autors zum Ausdruck bringen.
Nur in einigen Fällen werden die Figuren wie folgt angezeigt:

statt

so:

statt

so:

statt

Zum Zwecke einer korrekten Interpretation der "Arpeggi", die vom 89. Takt bis zum 120. Takt dauern, ist es angebracht, die originale Notation von Bach bekannt zu machen, die wie folgt lautet:

Wie man sehen kann, sind die Arpeggi zu Beginn nur in den ersten zwei Oktaven angezeigt, die das ganze Stück von 32 Takten durchziehen sollten.
Um eine gewisse Monotonie zu vermeiden und den Phrasen hinsichtlich der Melodie als auch der Harmonie mehr Form zu geben (indem man so dem Willen des Autors entspricht – wobei ich mich auch auf die Mehrheit der bereits bestehenden Ausgaben berufe –), habe ich die Arpeggi in Gruppen von 4 oder 8 Takten eingeteilt, die mit unterschiedlichen Varianten bei den Figuren ausgearbeitet sind.

SONATA III

Adagio
Der Text entspricht dem Original.
Ich habe die originalen Bogenstriche nicht angetastet, die der Komposition Variation und Kontrast verleihen, da sie verbundene Noten mit Einzelnoten abwechseln und so einförmige und monotone Wiederholungen vermeiden.

Fuga
Der Text entspricht dem Original.
Aus Gründen der Klarheit und besseren Kenntnis des Aufbaus der Fuge und der polifonischen Sätze der einzelnen Teile, habe ich die originale und vollständige Notation beibehalten.
So in den Akkorden, anstatt die Figuren zu ändern

in

oder

(wie man in einigen Ausgaben findet), schrieb ich die Figur

indem ich den Punkt auf die Note setzte:

Ich habe diese Figur oft eingesetzt:

statt

Largo
Der Text entspricht der Original-Handschrift.

Allegro assai
Der Text entspricht der Original-Handschrift.

PARTITA III

Preludio
Der Text entspricht der Original-Handschrift.

Der Autor hat nur die Wörter piano und forte angeführt, die hier ganz ausgeschrieben angegeben sind.

Loure
Der Text entspricht der Original-Handschrift.

Gavotte en Rondeaux
Der Text entspricht der Original-Handschrift.

Menuet I; Menuet II
Der Text entspricht der Original-Handschrift.

Bourée
Der Text entspricht der Original-Handschrift.
Der Autor hat nur die Wörter piano und forte angeführt, die hier ganz ausgeschrieben angegeben sind.

Gigue
Der Text entspricht der Original-Handschrift.
Der Autor hat nur die Wörter piano und forte angeführt, die hier ganz ausgeschrieben angegeben sind.

Rodolfo Lipizer

habe ich in einigen Fällen diesen Bogenstrich verwendet:

Double
Der Text entspricht voll und ganz der Original-Handschrift.

SONATA II

Grave
Der Text entspricht voll und ganz der Original-Handschrift.
Alle Bindebögen sind wie im Original.
5. Takt, 3. Viertel: Die Punkte haben konventionellen Wert (siehe Fuβnote);

4. Viertel, 1. Oktave: Ungenaue Notation, zu korrigieren.

6. Takt , 4. Viertel

statt

8. Takt, 7. Oktave

statt

Fuga
Der Text entspricht voll und ganz der Original-Handschrift.
Die Notation ist original. Ich habe nur verwendet

statt

Die Zeichen piano und forte sind original, die anderen Klangfarben wurden hinzugefügt.

Andante
Der Text entspricht voll und ganz der Original-Handschrift.
Die Bindebögen sind original.
In einigen Fällen verwendete ich

statt

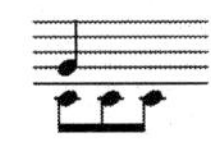

Allegro
Der Text entspricht voll und ganz der Original-Handschrift: Ich habe alle Variationen der Bogenstriche, wie von Bach vorgeschrieben, vollkommen beibehalten; er hatte die Gewohnheit, die Bogenstriche zu variieren um symmetrische Formeln zu vermeiden.
Das Zeichen ¢ zeigt die Teilung der rhythmischen Akzente eines Takts in zwei homogene Gruppeneinheiten, die im Tempo moderato ausgeführt werden müssen. Die Zeichen piano und forte sind original.

PARTITA II

Allemanda
Der Text und die Bogenstriche (hier erscheinen sie in vielen unterschiedlichen Formen) entsprechen dem Original.

Corrente
Der Text und die Bogenstriche entsprechen dem Original, nur die Figur

erscheint wie folgt:

Sarabanda
Der Text und die Bogenstriche (hier erscheinen sie in vielen unterschiedlichen Formen) entsprechen dem Original.

Giga
Der Text und die Bogenstriche (oft variiert, um eine Vereinheitlichung und symmetrische Wiederholungen zu vermeiden) entsprechen dem Original.

Ciaccona
Dieses beeindruckende Meisterwerk, unübertrefflich in seiner genialen Fassung und aufgrund der Erhabenheit des architektonisch anmutenden Aufbaus seiner Bestandteile, beruht auf dem Thema des Tanzes, das von einem Bass mit vier Takten vorgestellt wird, welcher auf dem zweiten Viertel des Taktes beginnt – wodurch sich eine Reihe von meisterhaften, wunderbaren Variationen entwickeln, die ihren Höhepunkt in einem unerschöpflichen Reichtum an Erfindungsgabe und blühender Fantasie erreichen.
Die Variationen müssen, wenn auch in ihren unterschiedlichsten und facettenreichen Kombinationen grundsätzlich eine einheitliche Bewegung hinsichtlich dem Grund-Tempo beibehalten, um die Merkmale der Komposition nicht zu verfälschen.
Trotzdem wird es notwendig sein, auf jene Nuancen zurückzugreifen, die die Vibrationen des Gefühls durch ein agogisches Atmen weiterleiten, je nach dem, jeder Variation zu eigenen Charakter.
Auch hier entspricht der Text dem Original; dabei wurden auch die Bindebögen und die originalen Bogenstriche beibehalten, die die Phrasierung getreu des Willens des Autors zum Ausdruck bringen.
Nur in einigen Fällen werden die Figuren wie folgt angezeigt:

statt

so:

statt

so:

statt

Zum Zwecke einer korrekten Interpretation der "Arpeggi", die vom 89. Takt bis zum 120. Takt dauern, ist es angebracht, die originale Notation von Bach bekannt zu machen, die wie folgt lautet:

Wie man sehen kann, sind die Arpeggi zu Beginn nur in den ersten zwei Oktaven angezeigt, die das ganze Stück von 32 Takten durchziehen sollten.
Um eine gewisse Monotonie zu vermeiden und den Phrasen hinsichtlich der Melodie als auch der Harmonie mehr Form zu geben (indem man so dem Willen des Autors entspricht – wobei ich mich auch auf die Mehrheit der bereits bestehenden Ausgaben berufe –), habe ich die Arpeggi in Gruppen von 4 oder 8 Takten eingeteilt, die mit unterschiedlichen Varianten bei den Figuren ausgearbeitet sind.

SONATA III

Adagio
Der Text entspricht dem Original.
Ich habe die originalen Bogenstriche nicht angetastet, die der Komposition Variation und Kontrast verleihen, da sie verbundene Noten mit Einzelnoten abwechseln und so einförmige und monotone Wiederholungen vermeiden.

Fuga
Der Text entspricht dem Original.
Aus Gründen der Klarheit und besseren Kenntnis des Aufbaus der Fuge und der polifonischen Sätze der einzelnen Teile, habe ich die originale und vollständige Notation beibehalten. So in den Akkorden, anstatt die Figuren zu ändern

in

oder

(wie man in einigen Ausgaben findet), schrieb ich die Figur

indem ich den Punkt auf die Note setzte:

Ich habe diese Figur oft eingesetzt:

statt

Largo
Der Text entspricht der Original-Handschrift.

Allegro assai
Der Text entspricht der Original-Handschrift.

PARTITA III

Preludio
Der Text entspricht der Original-Handschrift.

Der Autor hat nur die Wörter piano und forte angeführt, die hier ganz ausgeschrieben angegeben sind.

Loure
Der Text entspricht der Original-Handschrift.

Gavotte en Rondeaux
Der Text entspricht der Original-Handschrift.

Menuet I; Menuet II
Der Text entspricht der Original-Handschrift.

Bourée
Der Text entspricht der Original-Handschrift.
Der Autor hat nur die Wörter piano und forte angeführt, die hier ganz ausgeschrieben angegeben sind.

Gigue
Der Text entspricht der Original-Handschrift.
Der Autor hat nur die Wörter piano und forte angeführt, die hier ganz ausgeschrieben angegeben sind.

Rodolfo Lipizer

INDICE - TABLE DES MATIERES - CONTENTS - INHALT

Sonata I

Adagio

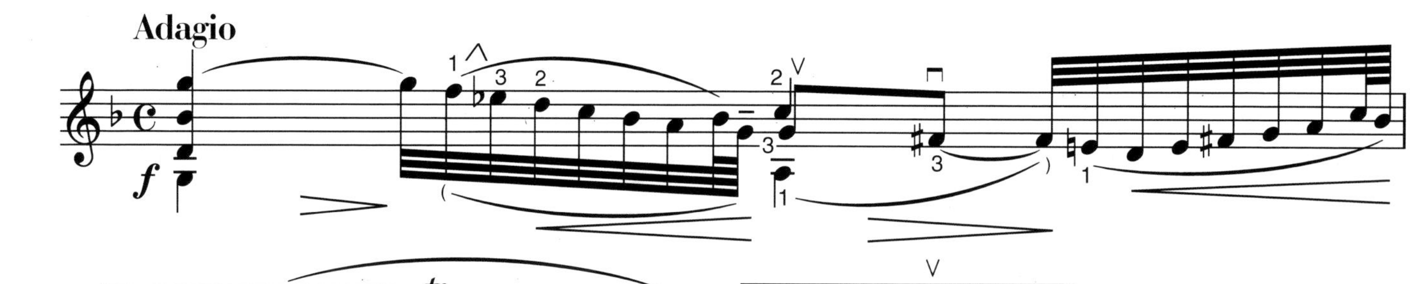

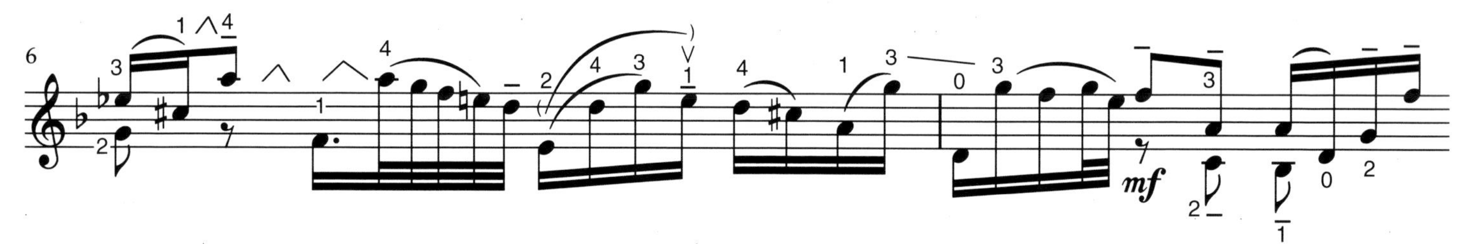

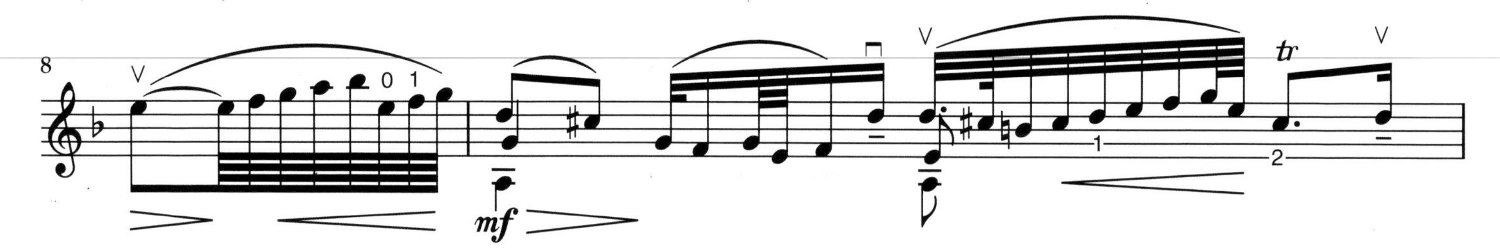

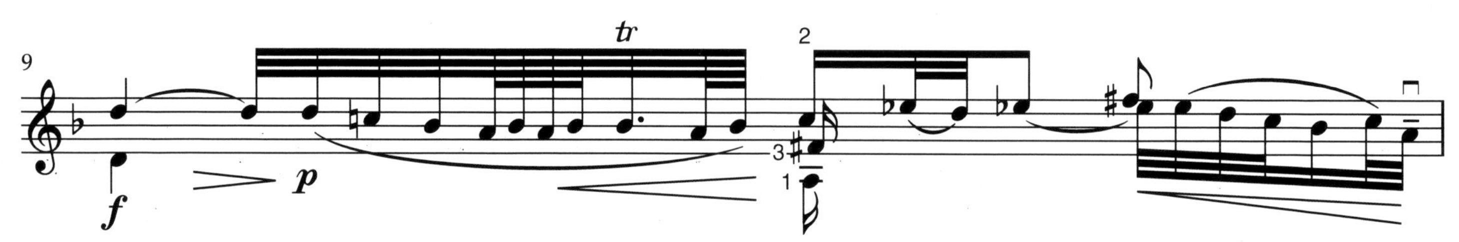

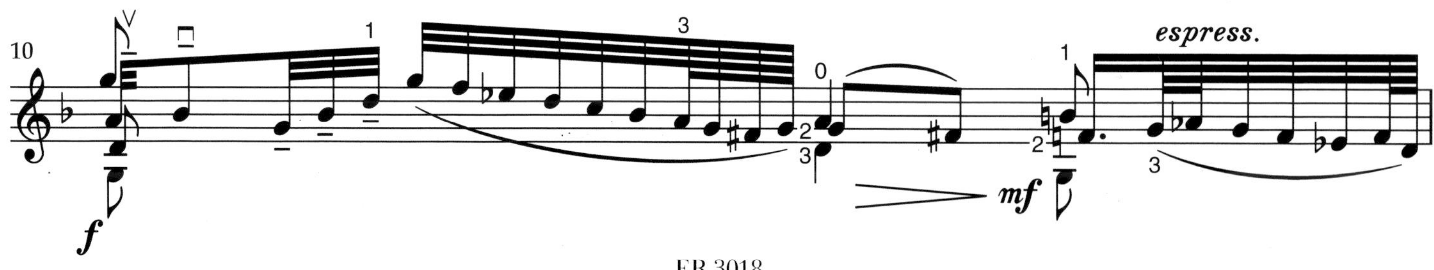

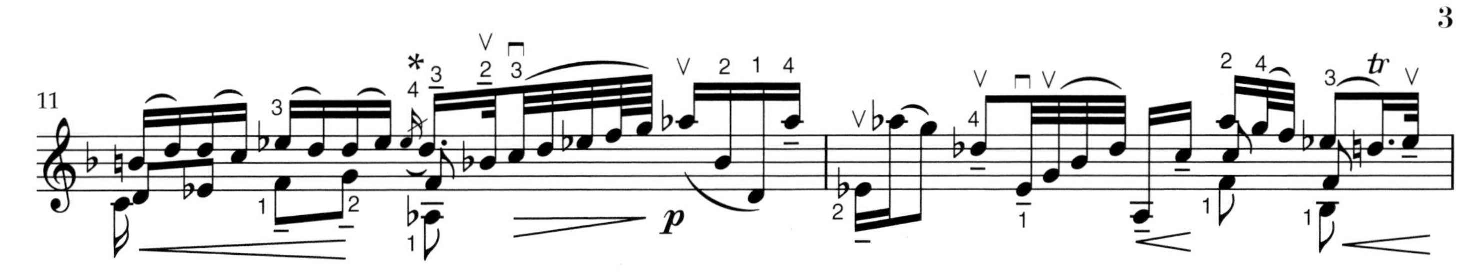

ten.

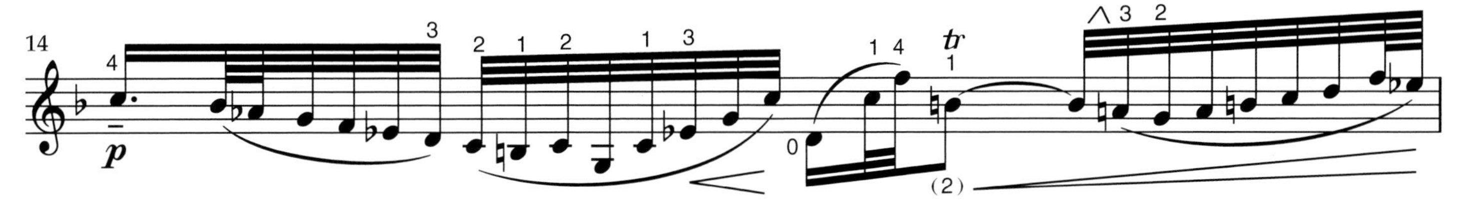

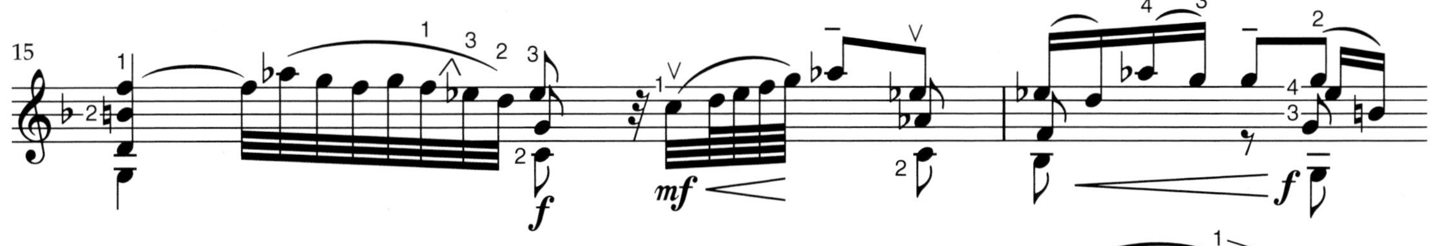

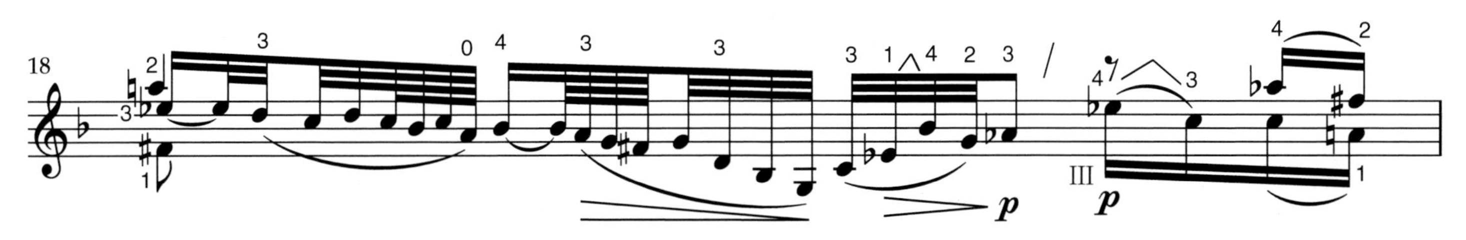

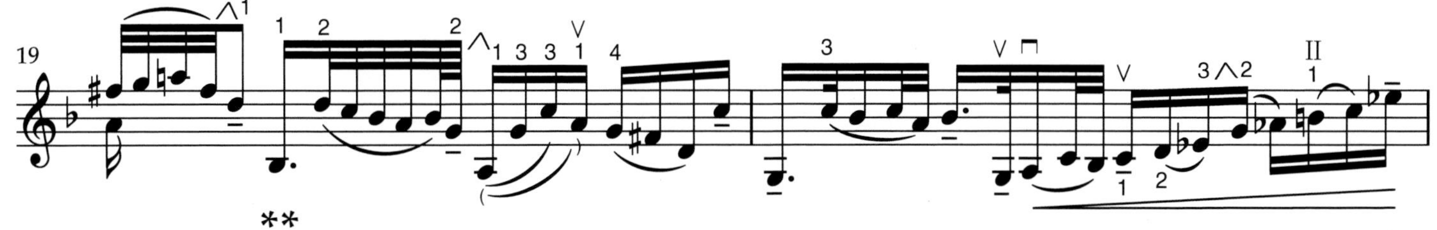

Fuga
Allegro
mf
p
cresc.
f
p
cresc.
f
mp
p
mf
f

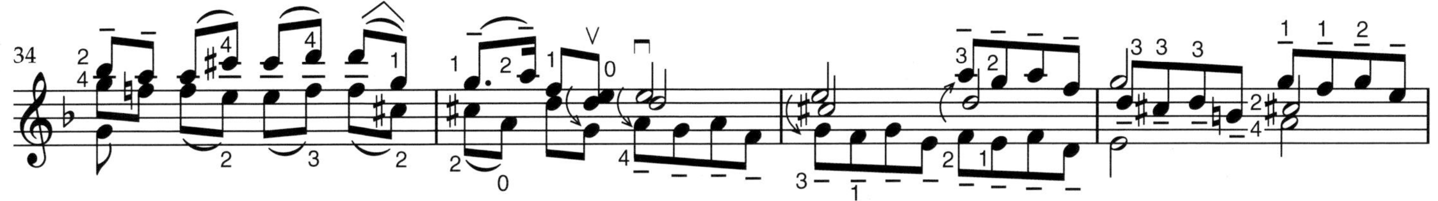

cresc.
sempre

cresc.

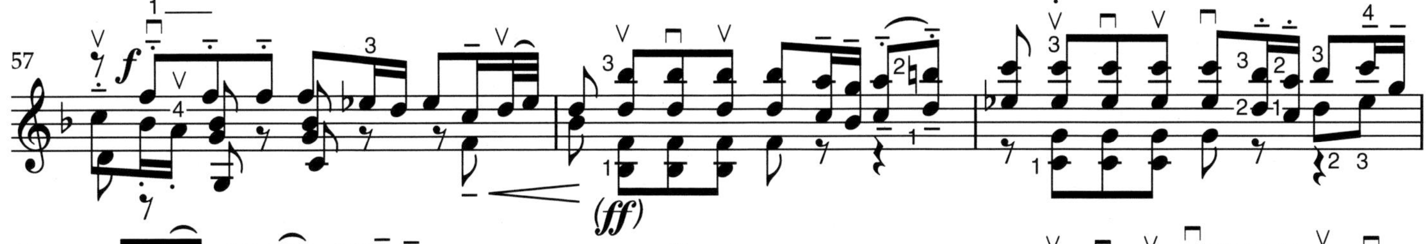

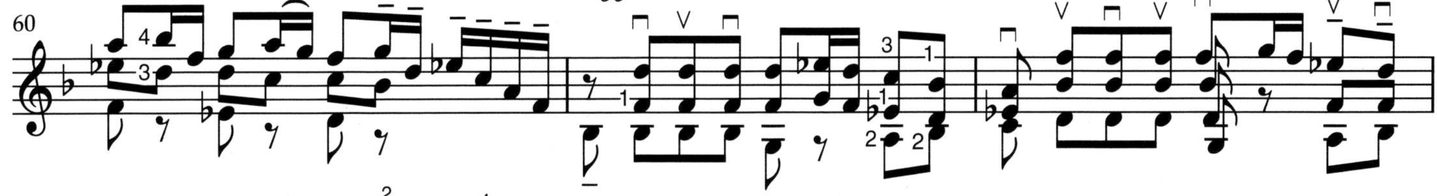

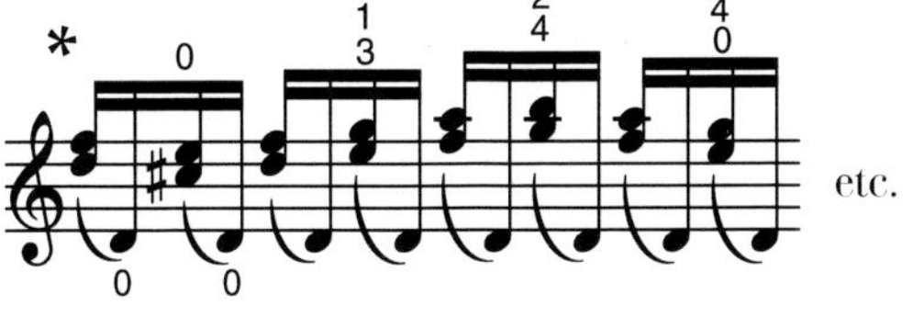
etc.

(più p)
poco a poco
cresc.
dim.

Siciliana
p dolce
p sonoro
mf
p
cresc.
dim.
p
dim.
pp
p
mf
dim.
dim.
p
poco cresc.
½ pos.
ten. ten.
dolce
p
p sonoro
dim. p

Presto

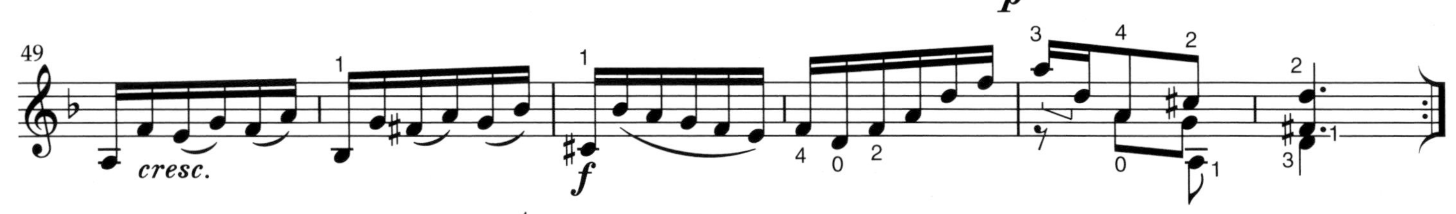
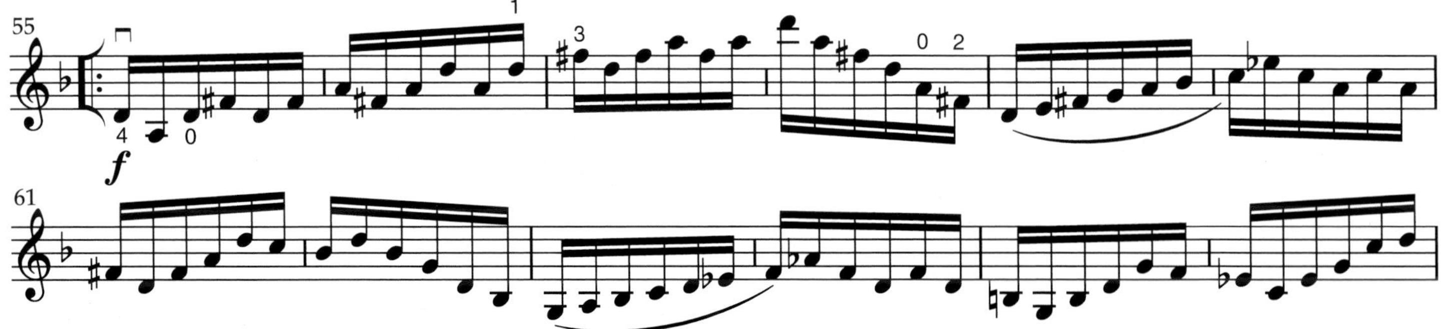

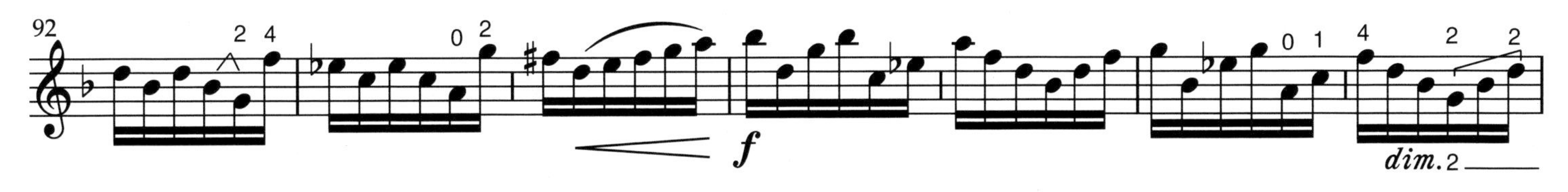

Partita I

BWV 1002

Allemanda

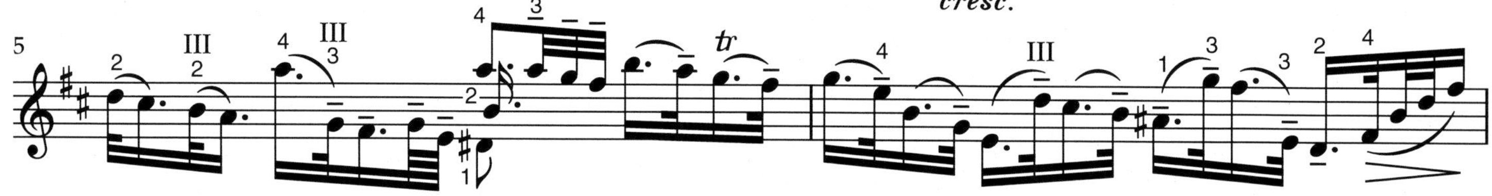

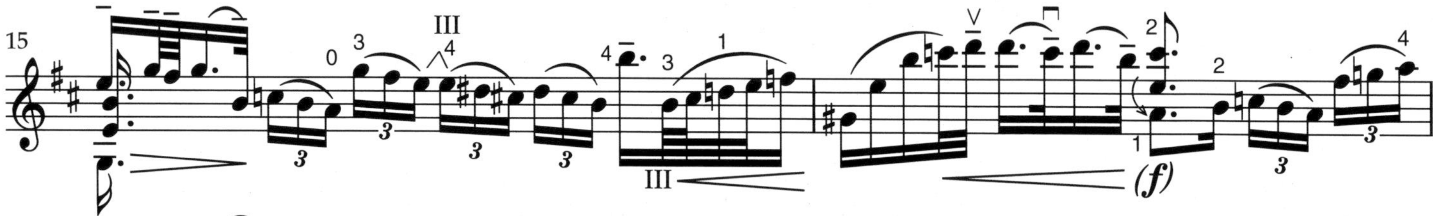

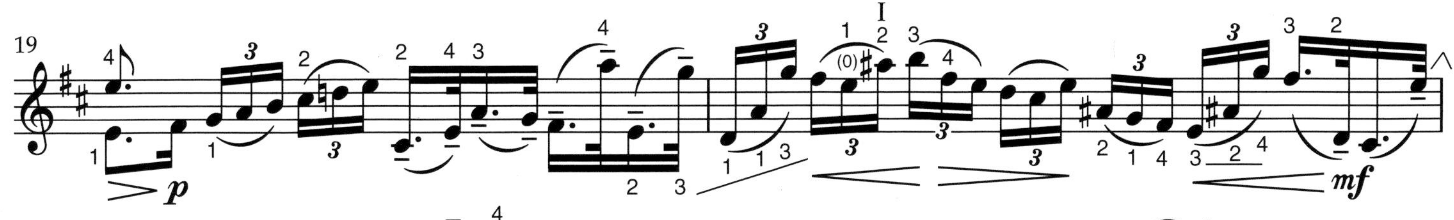

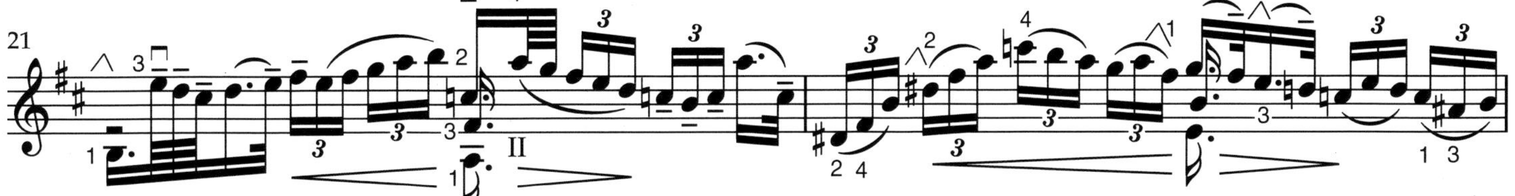

Double

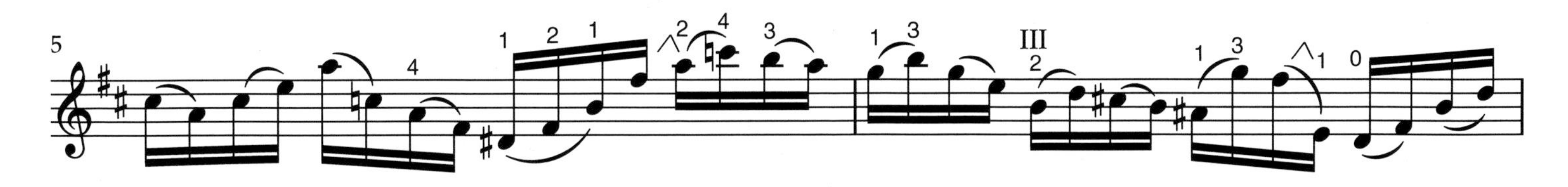

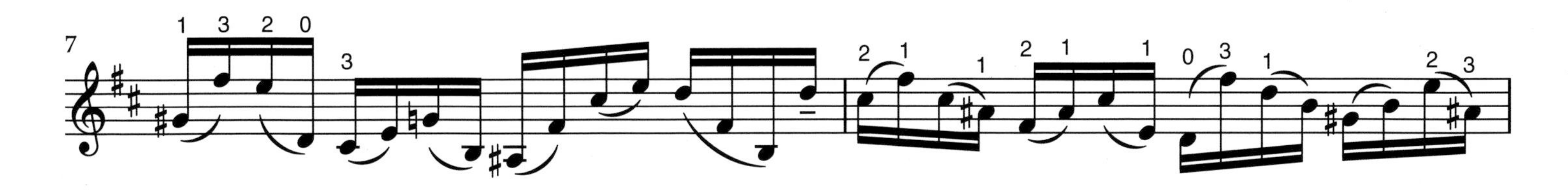

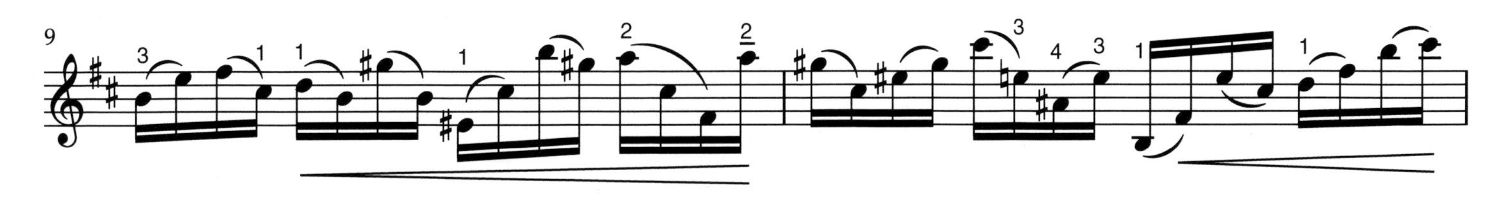

Corrente

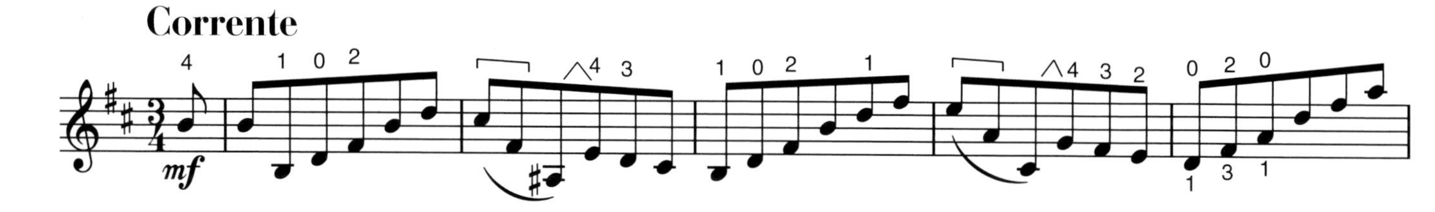

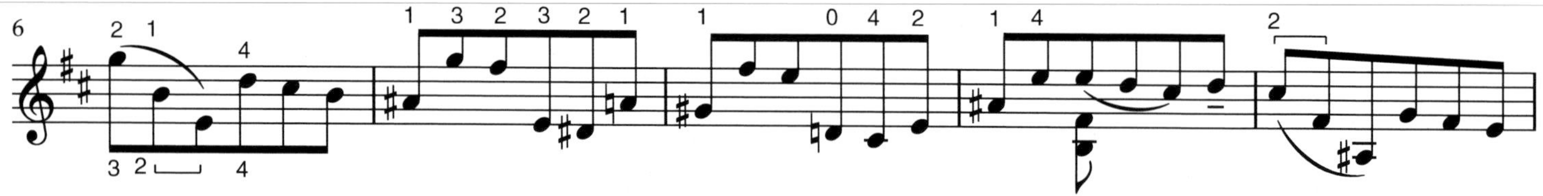

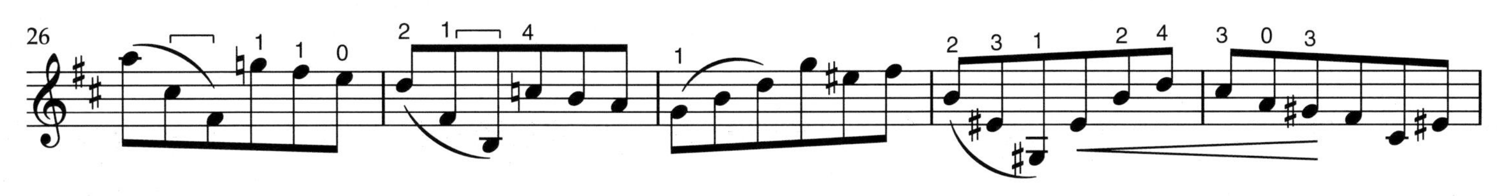
26

31
mf

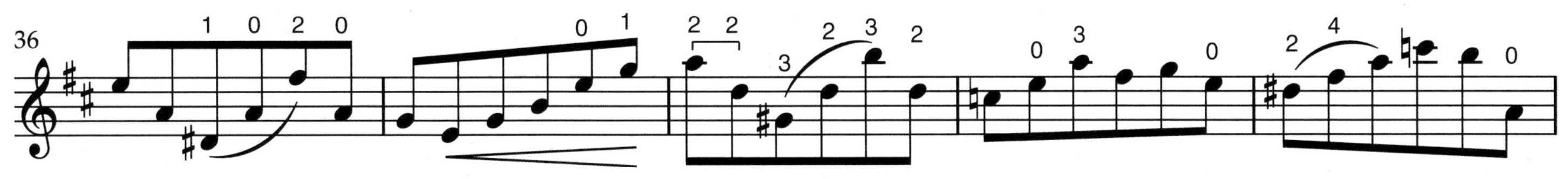
36

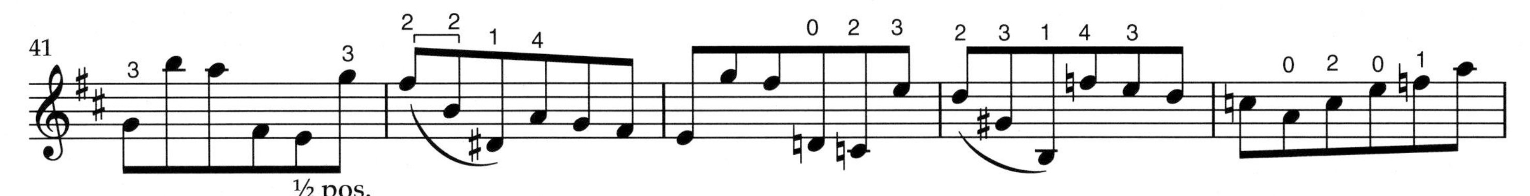
41
½ pos.

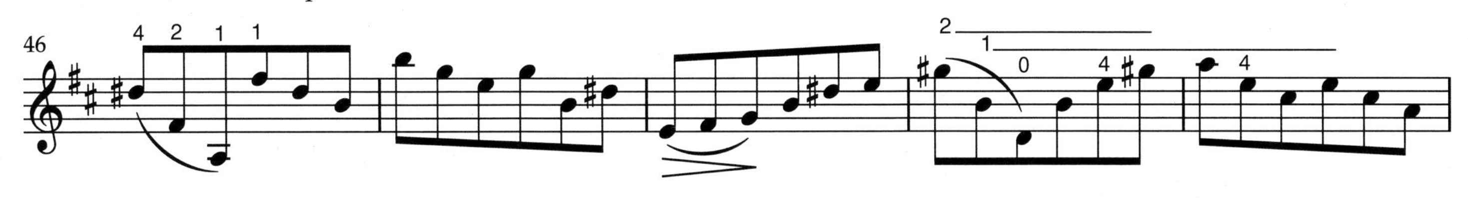
46

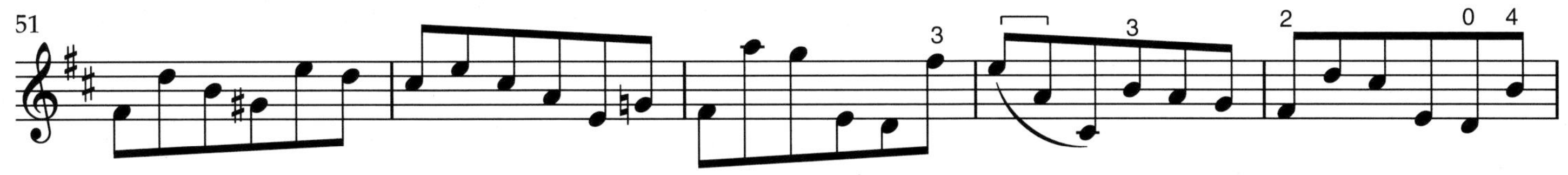
51

56

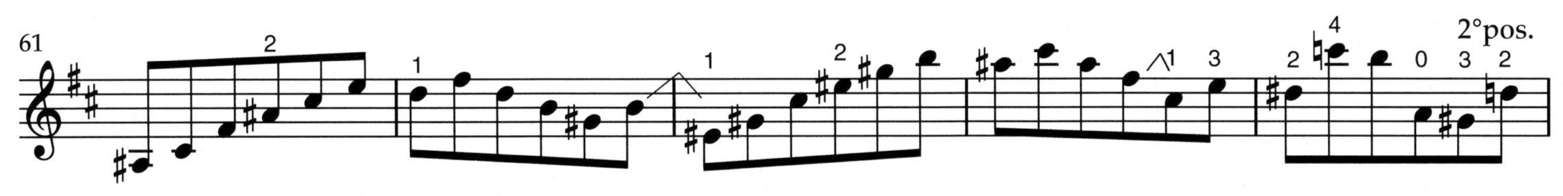
61
2°pos.

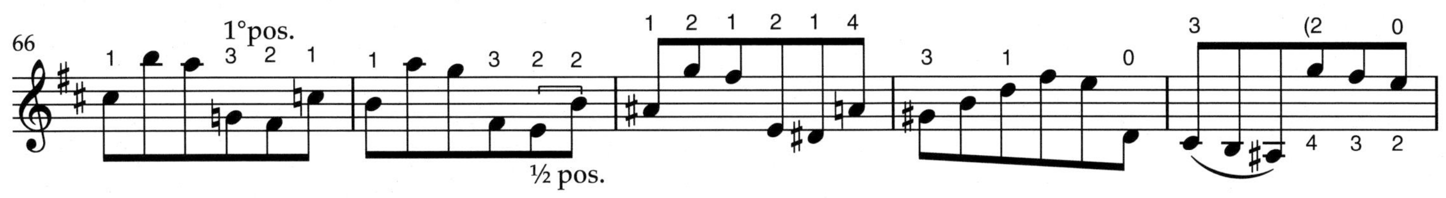
66
1°pos.
½ pos.

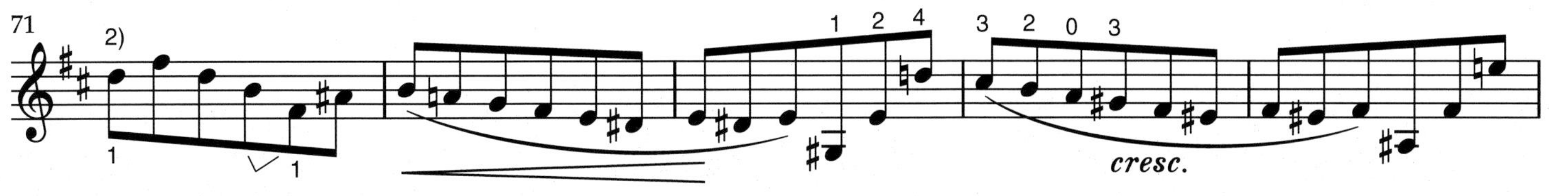
71
cresc.

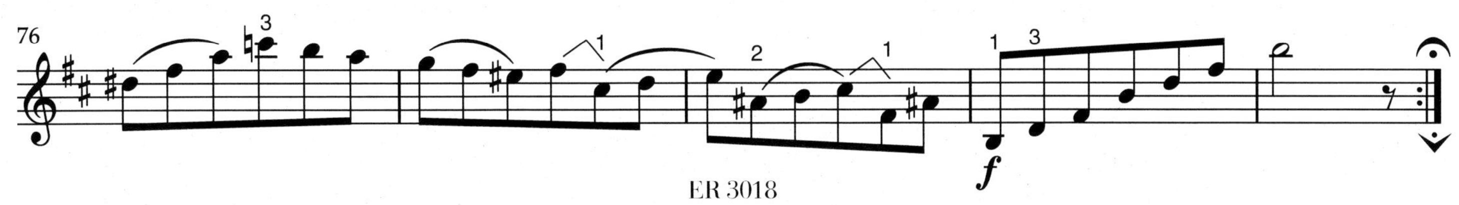
76
f

Double

restez

Sarabande

Double

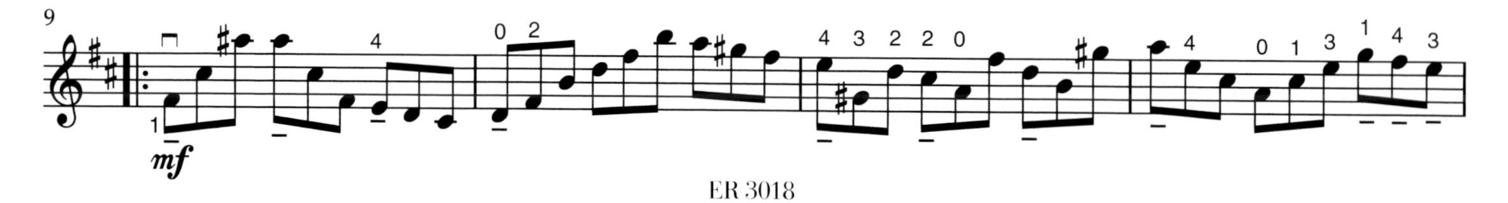

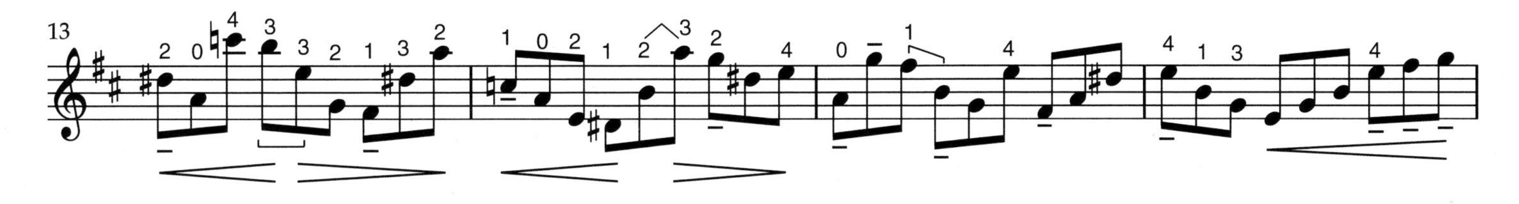

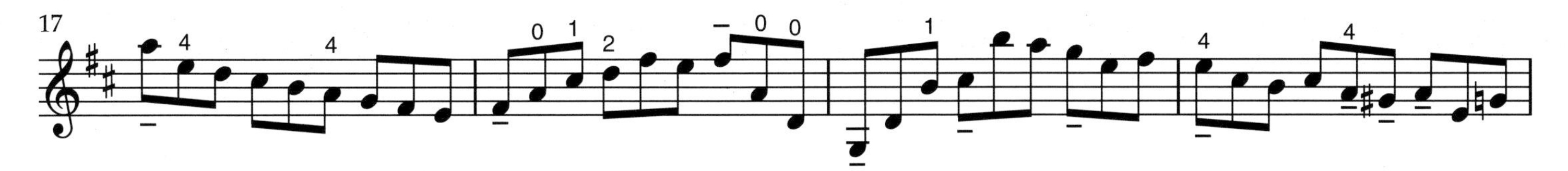

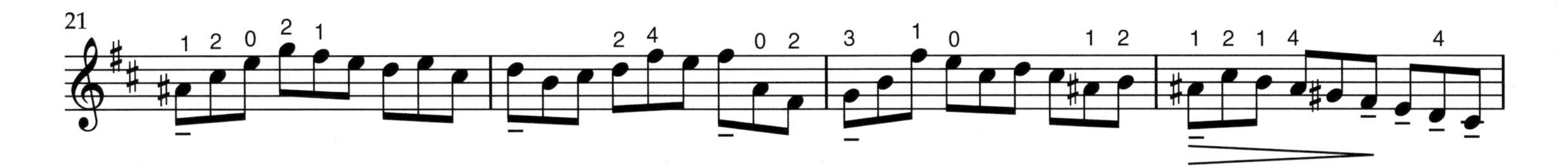

Tempo di Borea

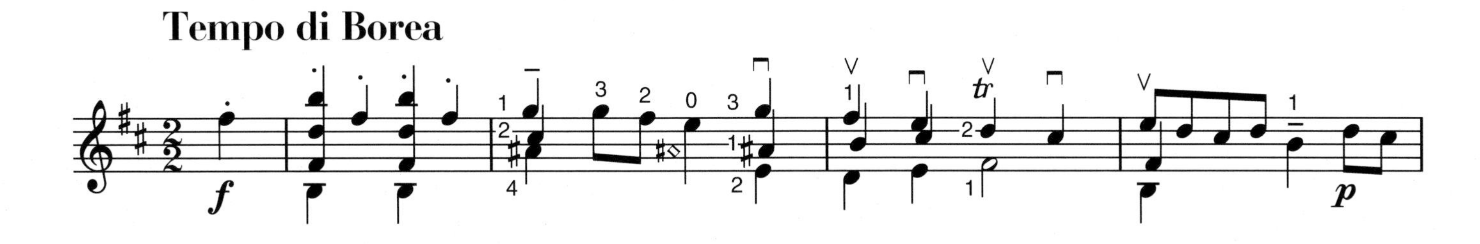

Double

mf
f
mf
p
II

Sonata II

BWV 1003

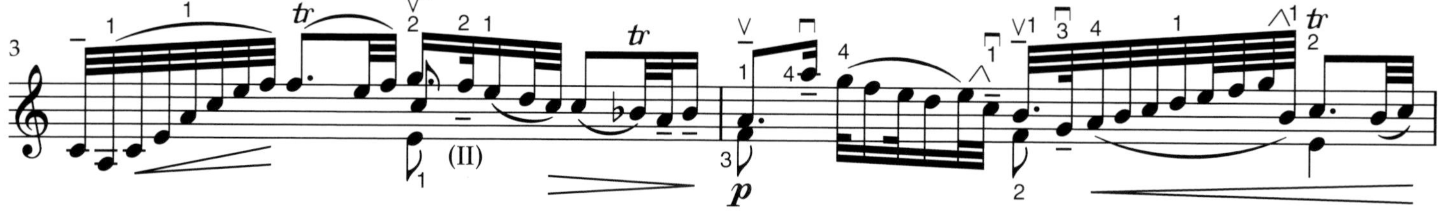

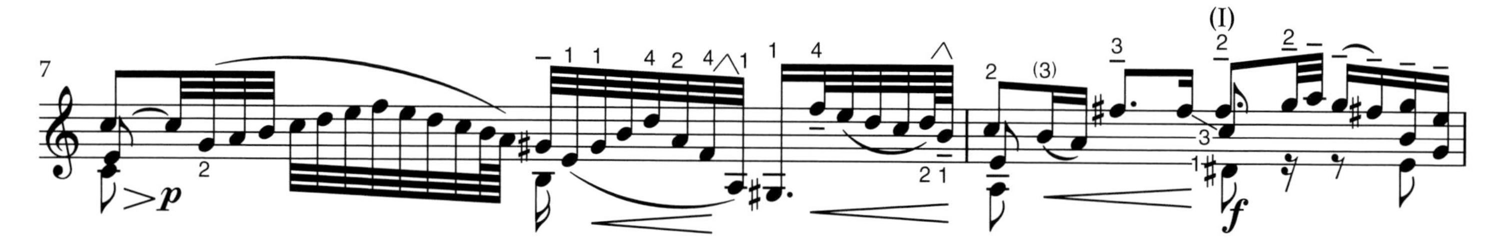

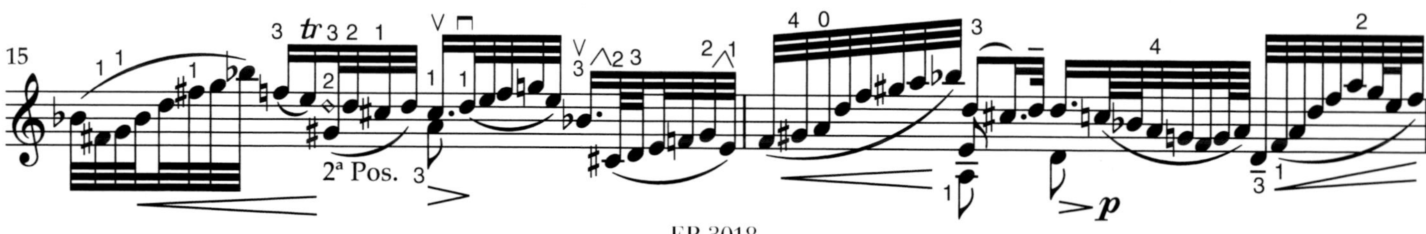

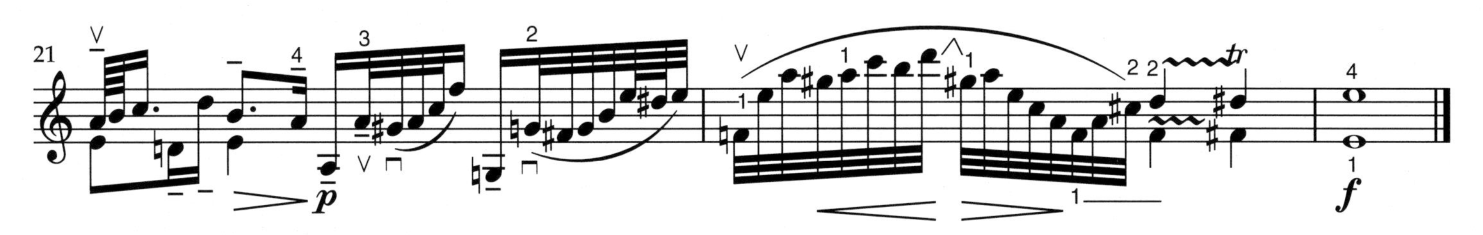

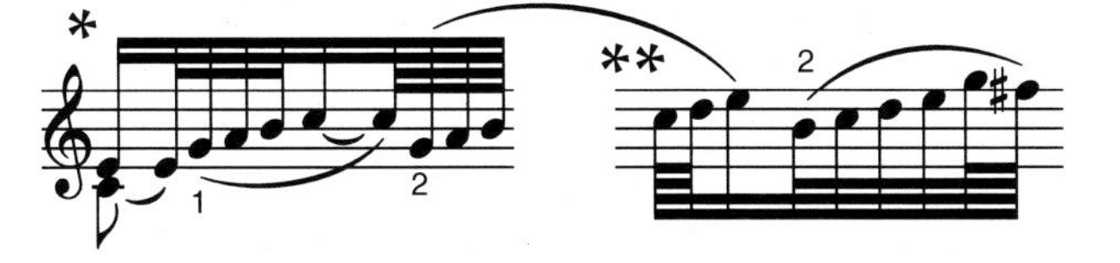

Fuga

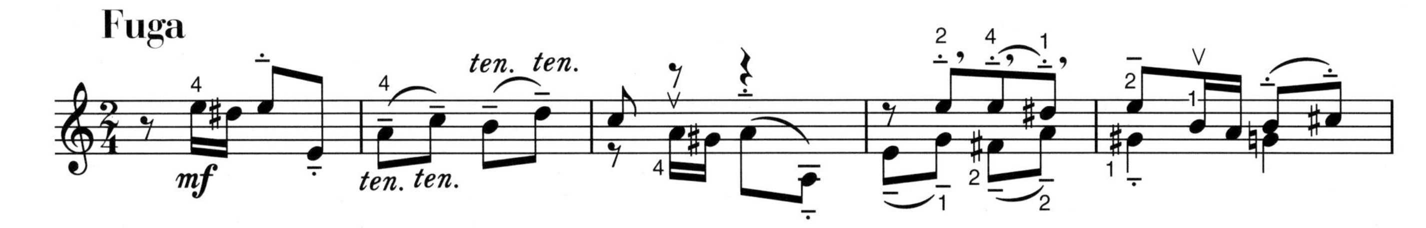

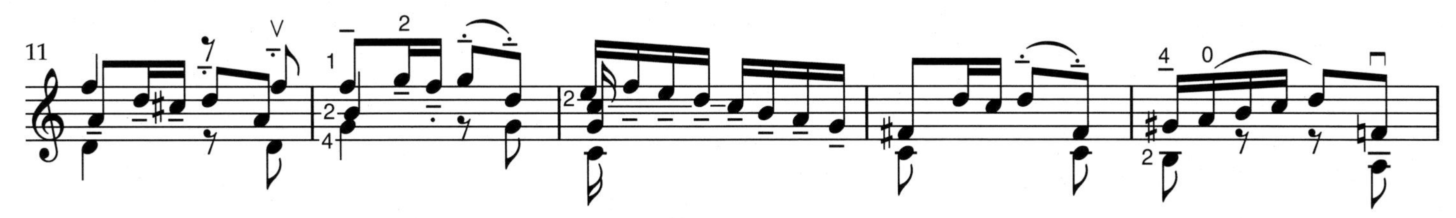

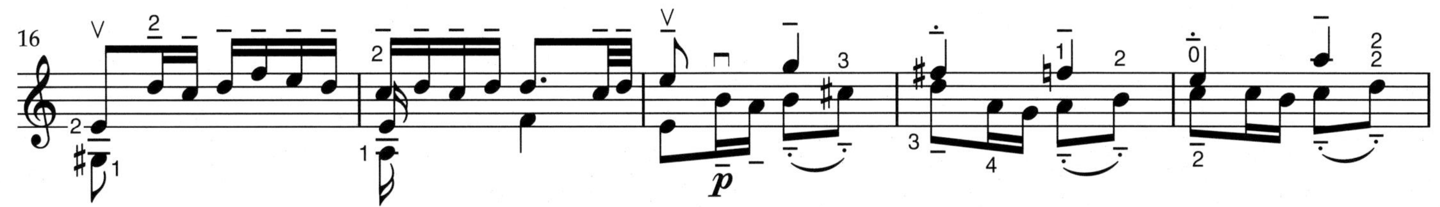

cresc
piano
forte
piano
forte
piano
forte
piano
forte
piano
forte
forte
forte
tr

poco

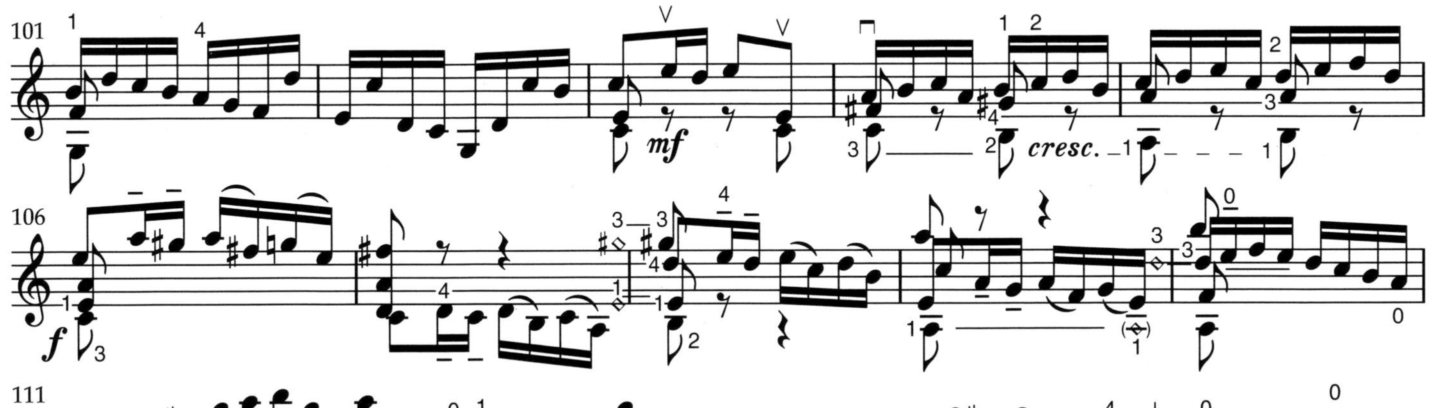
cresc.

restez
cresc.

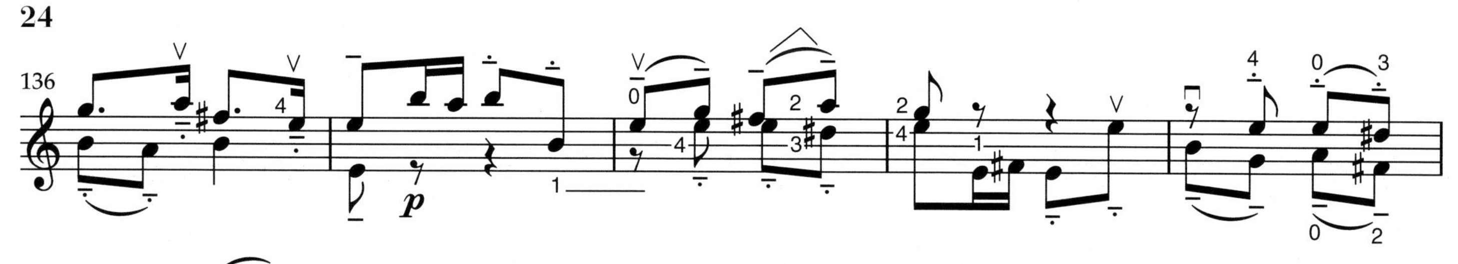
136
p

141
cresc.
f

146
p

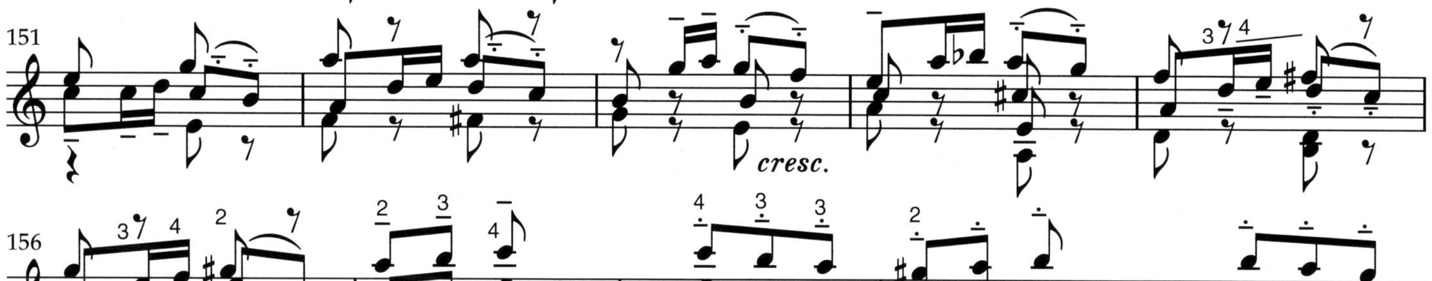
151
cresc.

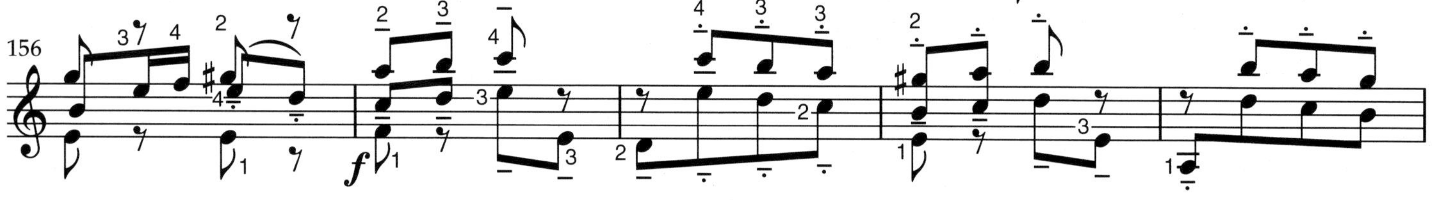
156
f

161
tr

166
mf
cresc.

171

176
dim.

181
cresc.

cresc.
mf
f
p
cresc.
poco a
poco
cresc.
(p)

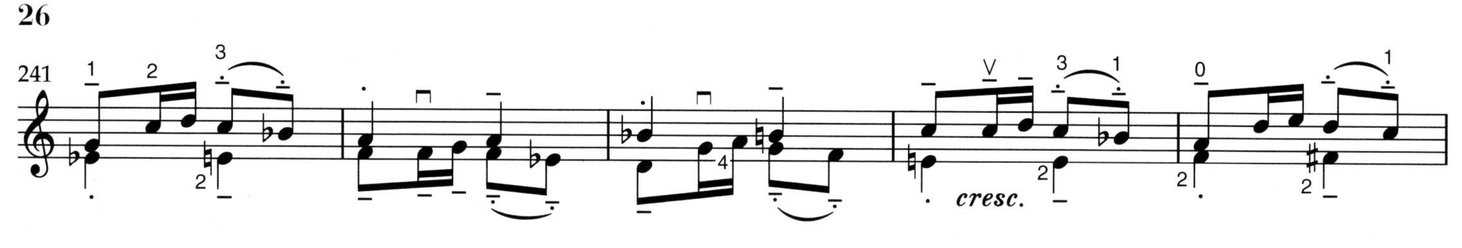
241
cresc.

246
f

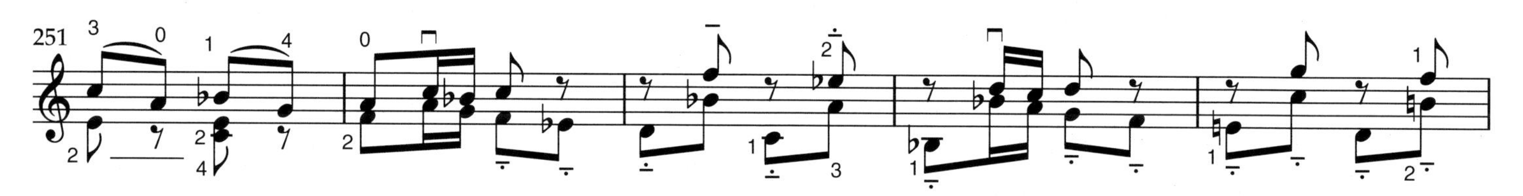
251

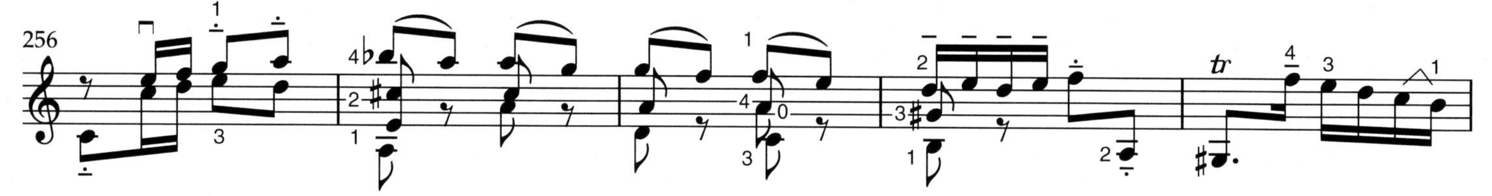
256
tr

261

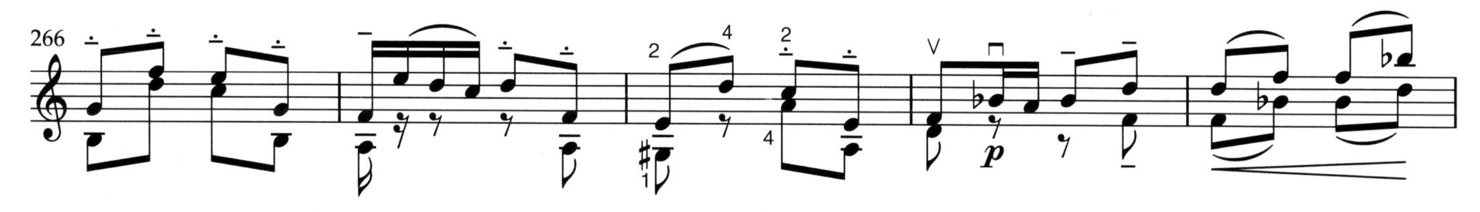
266
p

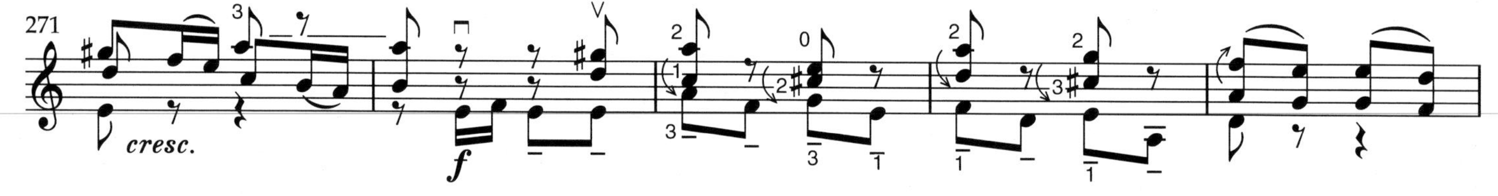
271
cresc.
f

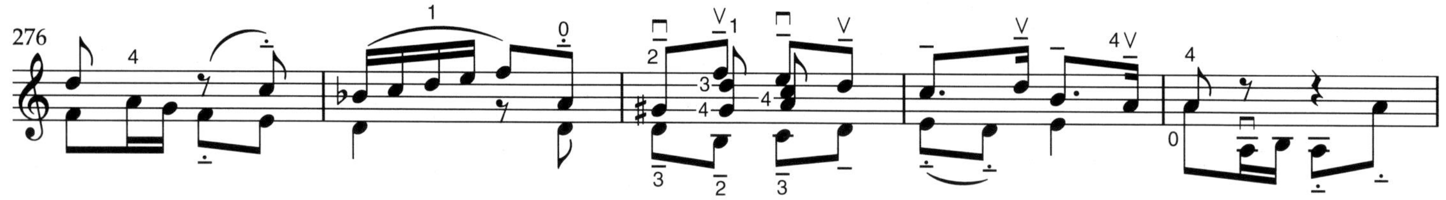
276

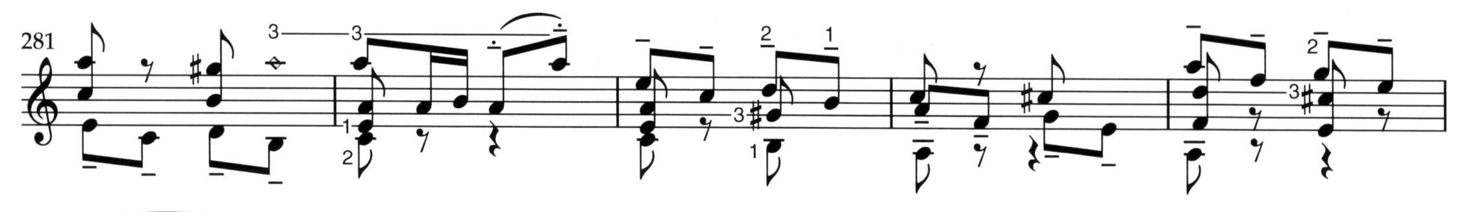
281

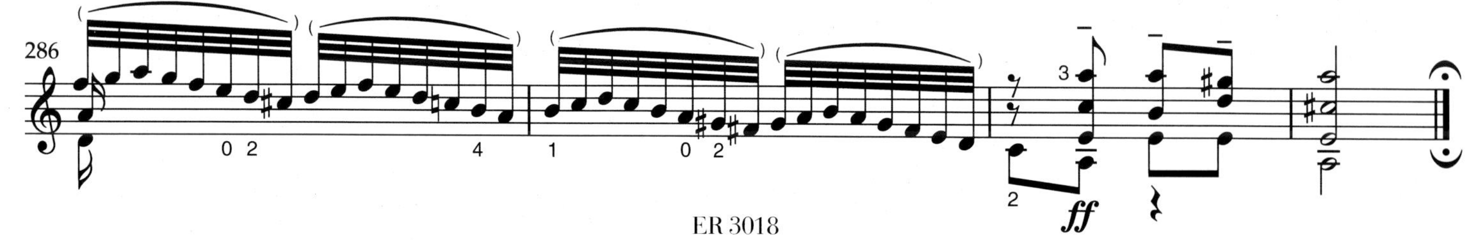
286
ff

Andante
dolce
espress.
cresc.
III
tr
1.
2.
5. pos.
1. pos.
ten.
dim.

Allegro
f
piano
forte
piano
forte
piano
forte
piano
forte
f
piano
forte
piano
forte
piano
forte

30
piano
forte

33

36

39

42

44

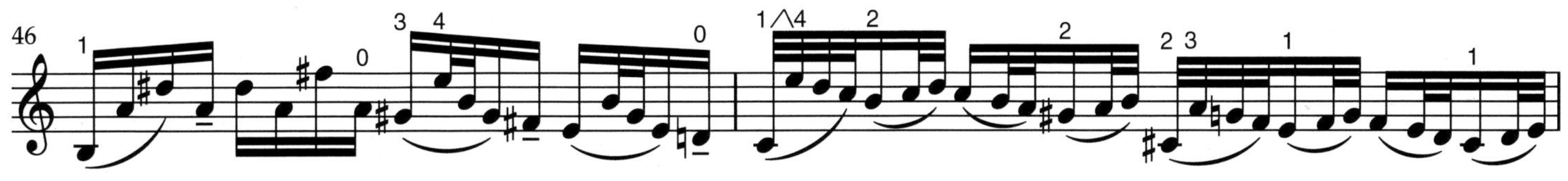
46

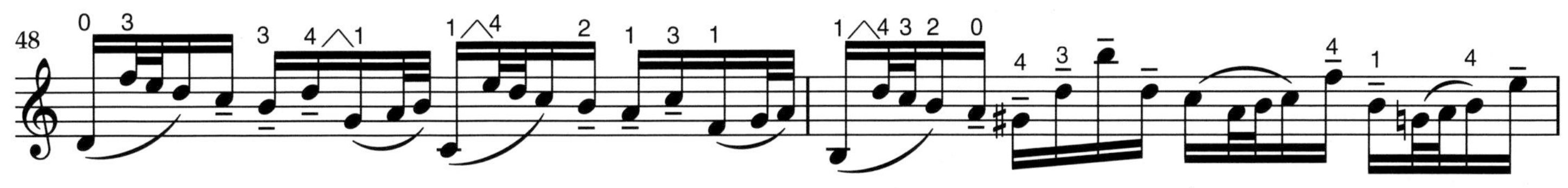
48

50

52

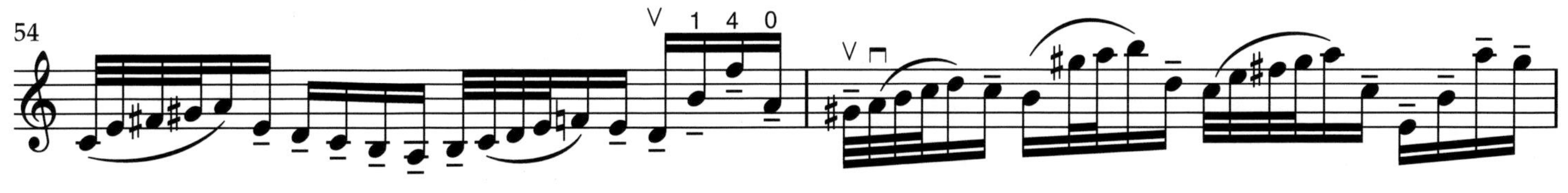
54

56
piano
(cresc.)
(f)

Partita II

Corrente

Sarabanda

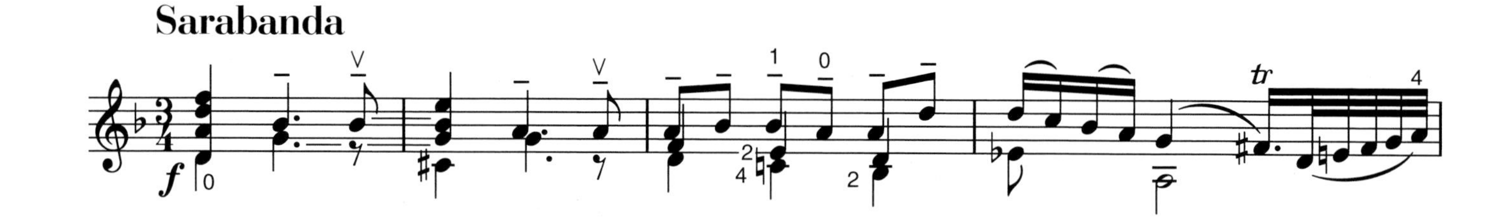

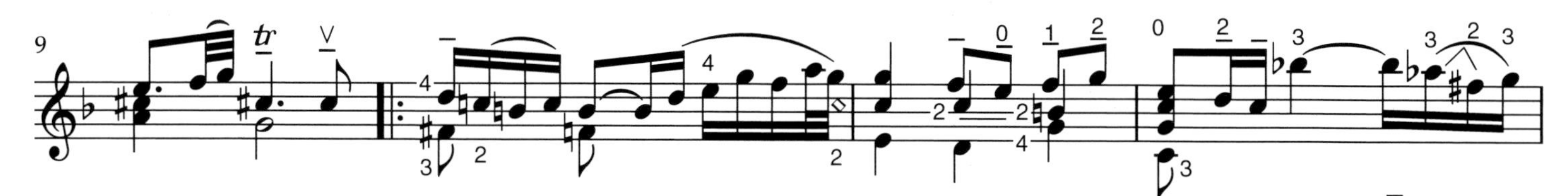

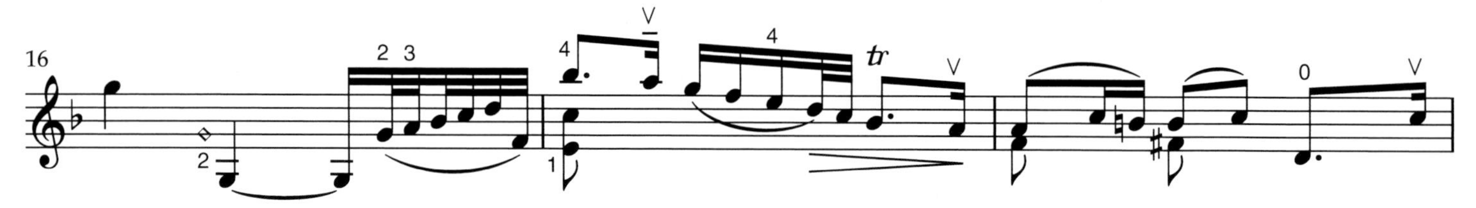

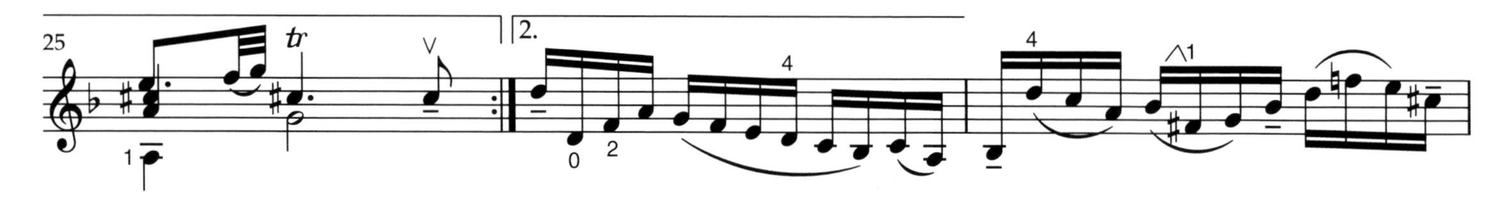

Giga

21
mf
(3)

23
cresc.

25
f
piano

27
(f)

29

31

33

35

37

39

Ciaccona

cresc.
5. pos.
cresc.

pp
II
cresc.
mf
arpeggio
p
cresc. poco a poco
dim.
cresc.

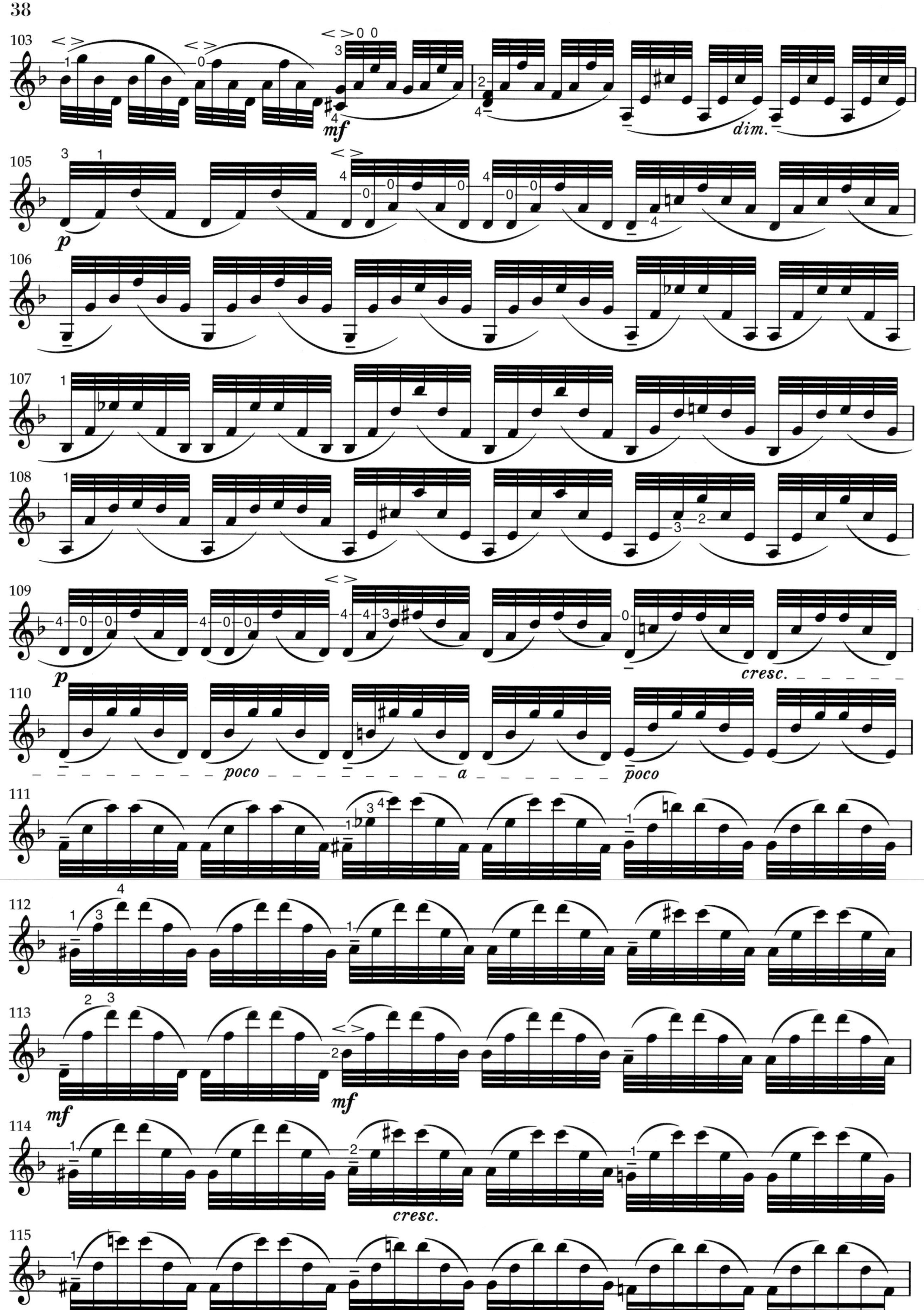
mf
dim.
p
cresc.
poco
a
poco
mf
mf
cresc.

più f
poco rall.
cresc.
sotto voce
ten.
cresc.

poco cresc.
sempre cresc.
cresc.
più f
ten.
segue

ten.
cresc.
½ pos.
IV
cresc.

Sonata III

BWV 1005

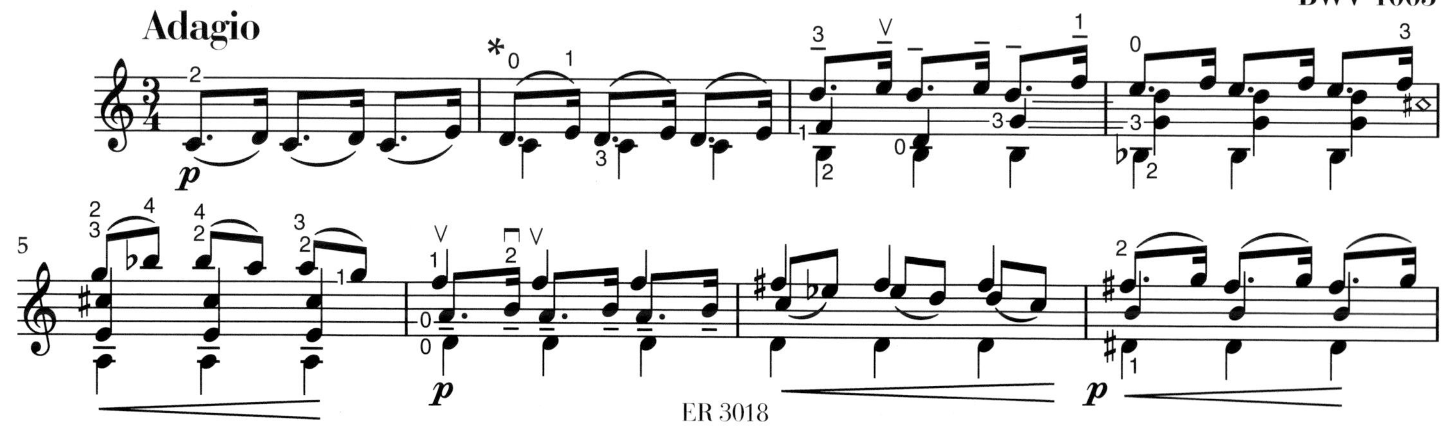

cresc.
p
cresc.
mf
cresc.
f
dim.
p
cresc.
f
p
f
p
p
tr
p

Fuga

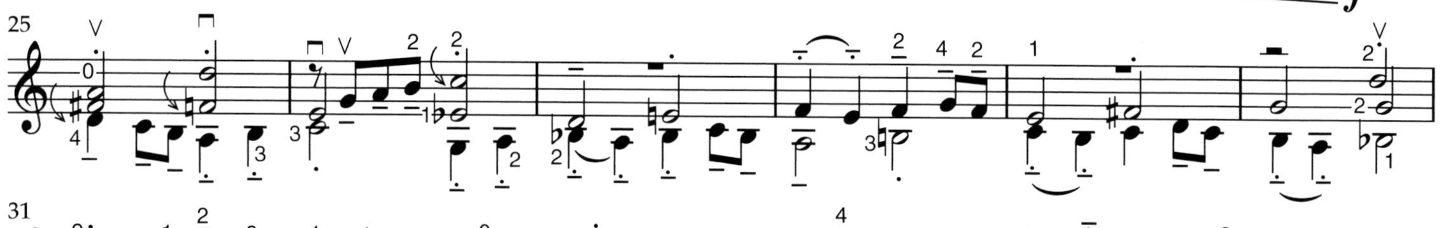

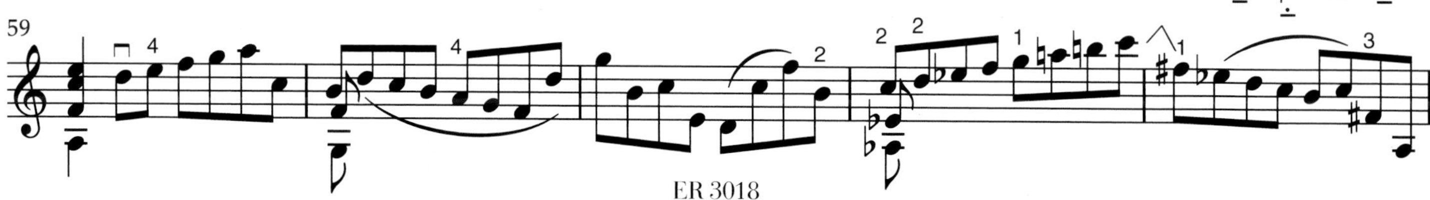

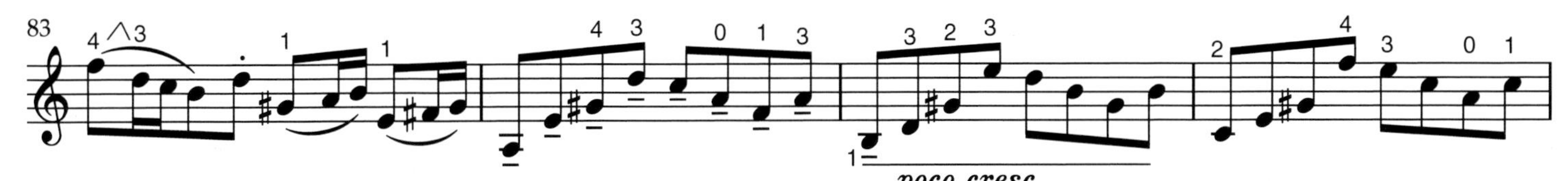
poco cresc.

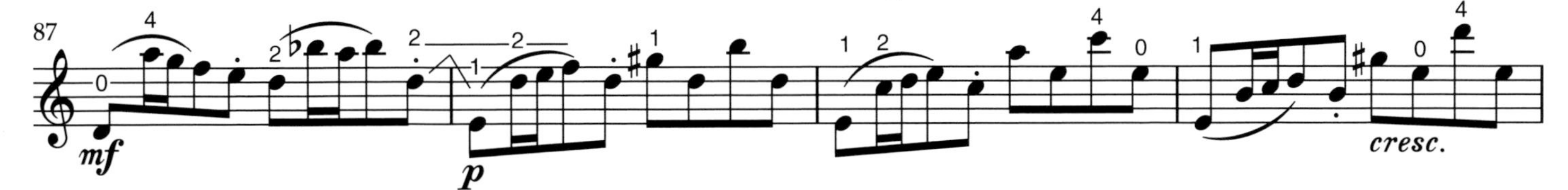
cresc.

ten.
ten.

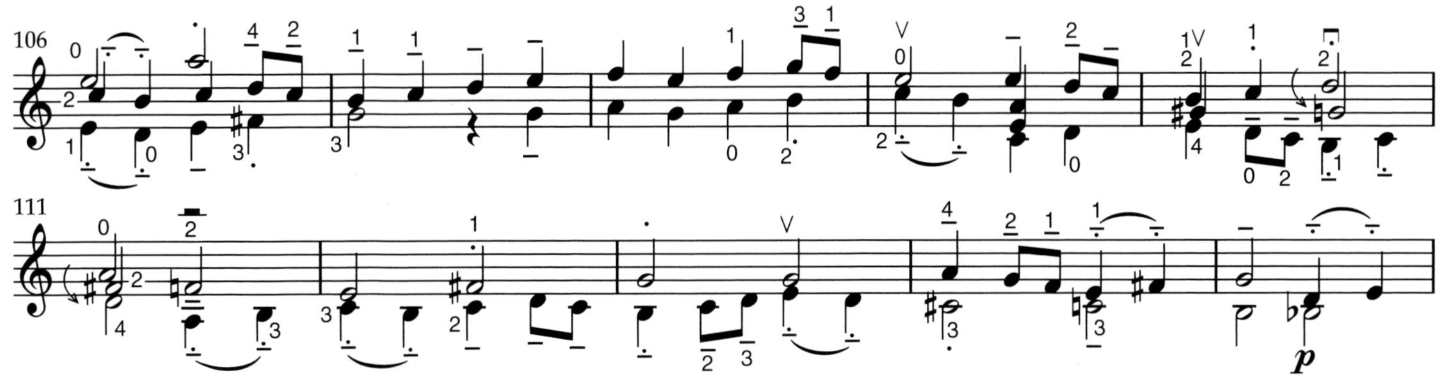

116
121
126
131
136
141
146
151
156
161
167
f
p
mf
tr

cresc.

poco cresc.

cresc.

ff
dim.

al riverso
dim.
f
mf

f

mf
cresc.
poco a poco
cresc.
poco
a poco
mf
poco
dim.
cresc.
poco
a
poco
cresc.
ff
dim.
f
f

mf
f
mf
cresc.
f

Largo
espress.
p
mf
cresc.
f
dim.
ER 3018

Allegro assai
cresc.

p
f
p
mf
cresc.
ten.
p
poco cresc.
sempre cresc.
f
cresc.
f
f

Partita III

Preludio

BWV 1006

Loure

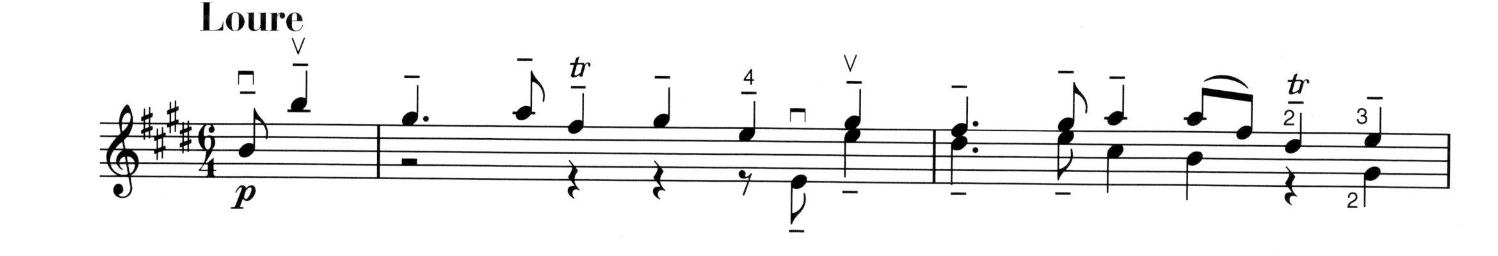

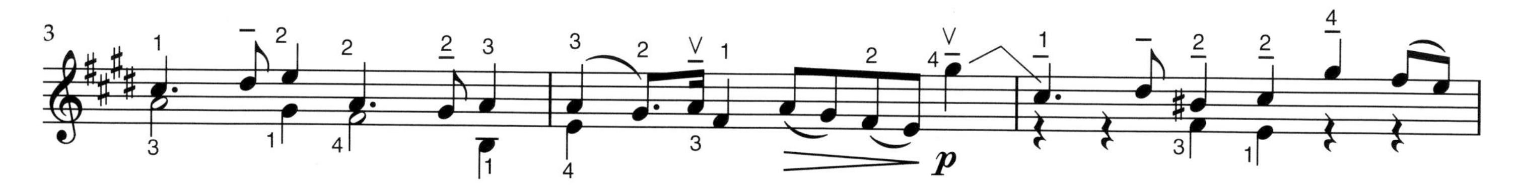

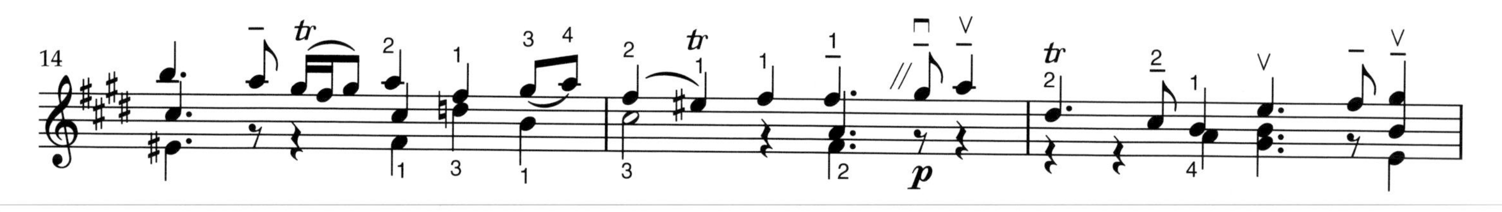

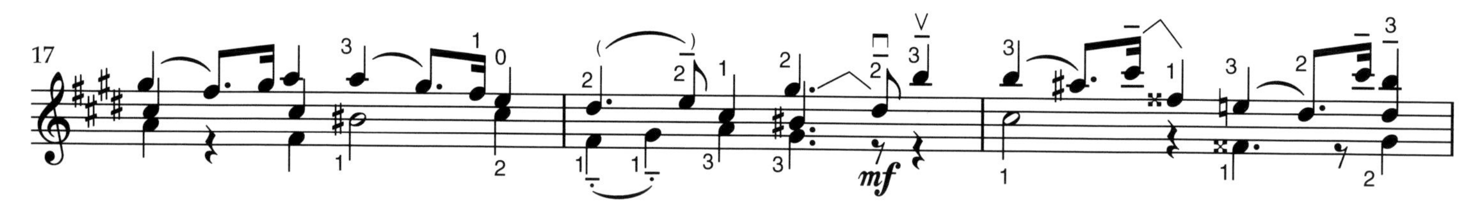

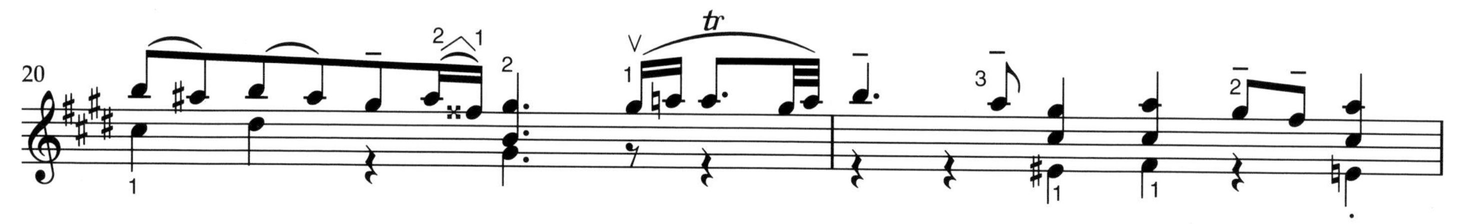

Gavotte en Rondeau

Menuet I

Menuet II

Bourée

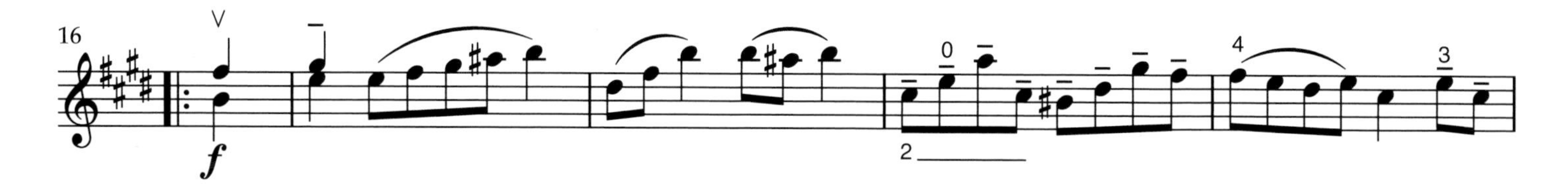

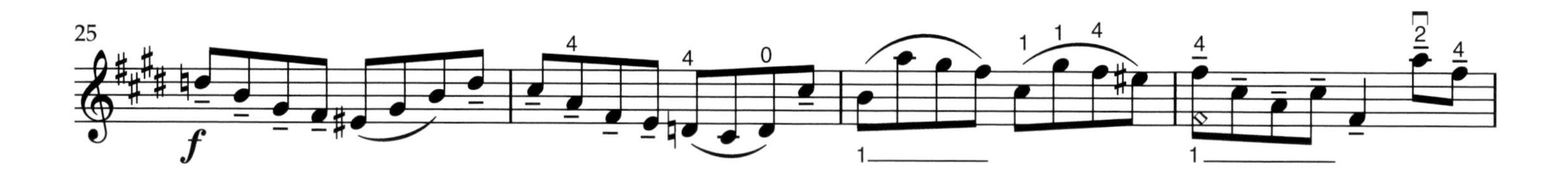

Gigue

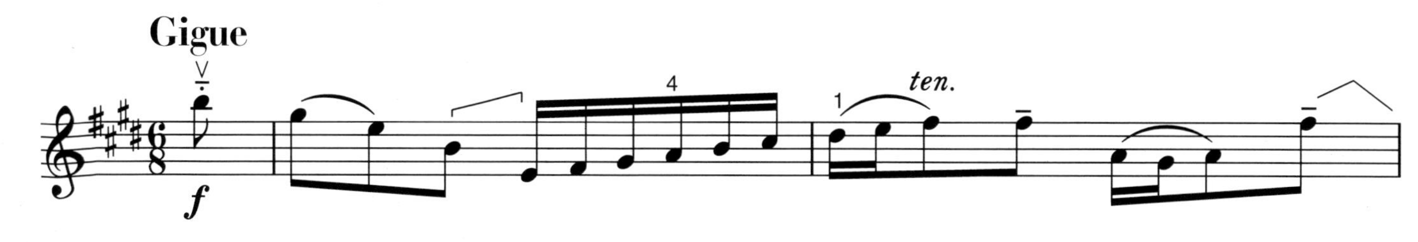